清 陳鏡伊編

道德叢書 之十

巧談

上編 善例八十二則

下編 惡例一百三十八則

世界書局

巧談

巧談

道德叢書之十

江蘇海門陳鏡伊編

目次

上編

下編

冒充巧破
竊賊巧破
阻善巧報
負恩巧報
狂妄巧報
巧折驕氣
循環巧報
剜目巧報

撞騙巧破
竊賊巧報
幽人巧報
叛逆巧報
錢數巧合
巧受杖責
移禍巧報
騙財巧還

巧談 道德叢書之十

上編　善例

海門縣陳鏡伊編

巧免災難（一）

民國十三年江浙之役。浙軍駐嘉定縣黃渡鎮。有一兵士以一僞幣向村婦購物。村婦請求調換。兵士不理。村婦訴之某排長。某排長當以眞幣換給村婦。將僞幣納衣袋中。旋與蘇軍戰。飛彈適中袋上僞幣。擊成凹形。而人未之傷。檢查行使僞幣之兵士。則飲彈而斃也。某排長以區區一元而保全生命。飛彈不偏不倚。適爲僞幣抗拒而失效。何其巧也。

巧免災難（二）

明正德初。徽商王善。年四十無子。有相者談禍福多奇中。一見善愀然曰：『汝尚無子？』善曰：『然。』相者曰：『不但無子。至十月更有大厄。』善神其言。急往蘇斂貲歸。值梅雨水漲。不可以舟。暫寓容肆中。晚霽。散步河濱。見一少婦投水。急呼漁舟曰：『能救此者。與二十金。』諸漁舟競救。得生。遂如數與之。問其故。對曰：『夫出傭工。家畜一豕。欲以償租。昨鬻之。不意皆假銀也。（假銀致人捐生可不猛省）既恐夫歸見責。又貧苦不欲生耳。』善惻然。問豕價幾何。倍賙之。婦歸。遇夫於塗。泣告其事。夫疑焉。日暮偕詣王寓質之。至則已闔戶就枕。夫令婦叩門。善問爲誰。曰：『我投水婦也。特來致謝。』善厲聲曰：『汝少婦。我孤客。暮夜豈宜相見。速去。倘有意。明晨偕汝夫來。』夫疑頓釋。悚然曰：『吾夫婦同在此。』善乃披衣起方出戶。忽聞室中轟然聲。驚視之。則榻後牆因久雨而頹。臥榻已壓碎。否則。善竟身當之矣。夫婦相與歎謝而去。善歸又遇相者。一視愕然曰：『子滿面陰隲文。必有大陰德事。非獨免厄。抑且獲福。未有量也。』後果連生十一子。兩登第。壽至九十外。

巧免災難（三）

秀水孫鄘客南陽。行次襄江。拾金釵二。維舟待之。暮有女奴哭至。鄘驗其實。還之。女曰：『君保我生。願以身報。』鄘不可。抵南陽得利幾倍。歸偕數舟泊故處。女澣衣河下。識鄘。疾語主留鄘。款待。餘舟遇風。皆覆。鄘舟羈無恙。

巧免災難（四）

李毅爲吉州城守。卒城內徐姓遣婢送金釵還親戚家。婢插頭上。

中途墜地。毅見而拾之。隨婢以行。見入一大家。倉皇即出。至江邊。欲投溺。毅急呵問之。婢泣告曰：「娘子性嚴急。適命送釵還。入途中墜失。必遭笞斃。不如先死。」毅遽還之。婢大感謝。後婢嫁梅林渡村民。値毅持公文將渡。力挽到家。沽酒爲款。忽聞渡口喧譟聲。出視之。舟已覆。人俱溺矣。毅以留故。獨全。毅救婢，婢亦救毅，機緣何巧合耶！抑造物幻此一段因果也

巧免災難（五）

宇文英迪初領黔江獄。民有黃愛之者。嘗訐漕臺官吏。適坐事繫獄。官吏恨之。必欲文致於法。英迪力爲辨雪。竟從輕斷。後三年。英迪由南濱泝流而歸。値大雨。水暴至。波濤如山。中流纜絕。舟人拱手待覆。俄有一小舟衝浪而至。號救得濟。視其人。則愛之也。相顧大驚曰：「吾昔日平黔之獄。初非有意於君。君今日冒險而來。亦

豈知將溺者之爲我？豈天意故以彰其事乎？』相與感歎久之。

巧救其子（一）

高郵張百戶往淮安。泛舟湖堤。遙望一小舟浮沉波上。有人踞舟背呼救。張憐之。急出金十兩。呼漁舟往救。至。則其子也。父子相抱驚喜而歸。

巧救其子（二）

江甯旱西門回子哈九開飯肆。有江浦人攜囊五十金遺店中。哈九追至江邊還之。別後得金者至江浦。見大風覆舟。溺者甚多。其人忽思曰：『譬如哈九不還吾金。且將此作一件好事。』遂呼漁舟曰：『救一人者予五金。』漁舟爭救。止得一人。視之。卽哈九子也。此淸順治五年三月二十三日事。

巧遇失子（一）

密雲富翁。一子數歲。忽失去。遠近求之弗得。翁念殊切。値天暑。數人歇涼於門。坐久。竟去。翁策杖而出。見門後一黃袋盛銀數錠。解邊餉者。翁佇俟其還。少頃。一人號泣奔至。曰：『我天津衛解邊餉者。適與同伴借此歇涼。解腰間袋。置門後。乘陰速行。忘取。倘長者收得。願與均分。』翁悉還之。其人拜謝。且懇所以報德。翁俛首久之。曰：『拙久失一子。此行但覓清秀孩童一二。賜我足矣。』其人銘刻而去。事畢。回至途。見人攜一小兒請鬻。其人記翁恩厚。幸有餘金。遂買兒。聯騎至翁門。下馬。兒竟入室中。始知所買兒。即翁子也。翁大喜。復厚贈其人。

巧遇失子（二）

陝西袁某。值闖賊亂。父子離散。流寓江南。欲娶妾生子接後。適有一婦嫁。公與金三十兩娶之。婦至。背燈而泣。袁問之。婦曰：「家貧絕食。夫欲自盡。妾故賣身活之。念平日恩情。一日改事他人。不禁悲傷耳。」袁憐之。不敢犯。次日送還其夫。除身價不取外。復借銀百兩治生。夫婦泣拜去。後其夫至揚州。遇數人牽一童賣。夫私計曰：「吾欲覓一童女以報袁公。一時難得。盍先買此以進。」因問：身價幾何？曰：「每歲一兩。」童十二歲。出十二金買之。送至袁家。袁熟視之。則其子也。父子相抱大哭。既而大笑。報施之巧如此。

巧遇失子（三）

明嘉靖時。江西俞公諱都。字良臣。多才博學。十八歲為諸生。每試必高等。年及壯。家貧授徒。與同庠生十餘人結文社。惜字放生戒淫殺口過。行之有年。前後應試七科。皆不中。生五子。四子病夭。其第三子甚聰秀。左足底有雙痣。夫婦寶之。八歲戲於里中。遂失去。不知所之。生四女。僅存其一。妻以哭兒女故。兩目皆盲。敬發誓願。願善念眞純。善力精進。倘有絲毫自寬。永墮地獄。每日清晨虔誦大慈大悲尊號一百聲。以祈陰相。從此一言一動一念一時。皆如鬼神在傍。不敢欺肆。凡一切有濟於人。有利於物者。不論事之巨細。身之忙閒。人之知不知。力之繼不繼。皆歡喜行持。委曲成就。而後止。隨緣方便。廣植陰功。且以敦倫勤學。守謙忍辱。與夫因果報應之言。逢人化導。惟日不足。每月末日。卽計一月所行所言者。就竈神處爲疏以告之。持之旣熟。動則萬善相隨。靜則一念不起。如是三年。年五十歲。乃萬歷二年甲戌會試。張江陵爲首輔。闈後訪於同鄉。爲子擇師。人交口薦公。遂聘赴京師。公挈眷以行。張敬公德品。爲援例入國學。萬歷四年丙子。附京鄉試。遂登科。次年中進士。一日。謁內監楊公。楊令五子出拜。皆其覓諸四方爲己嗣。以娛老者。內一子年十六。公若熟其貌。問其籍。曰：『江右人。小時誤入糧船。猶依稀記姓氏閭里。』公甚訝之。命脫左足。雙痣宛然。公大呼曰：『是我兒也。』楊亦驚愕。即送其子隨公還寓。公奔告夫人。夫人撫子大慟。血淚迸流。子亦啼。捧母之面而舐其目。其母雙目復明。公悲喜交集。遂不願爲官。辭江陵。回籍。張高其義。厚贈而還。公居鄉。爲善益力。其子娶妻。連生七子。皆育。悉嗣書香焉。公手書遇竈神并實行改過事以訓子孫。身享康壽八十八歲。人皆以爲實行善事回天之報云。

父子夫妻巧遇

湖廣襄陽姚長者。家貧巨萬。世襲錦衣衛。生一子。名崑郎。年六歲。與羣兒上山嬉戲。至暮不歸。遍覓不得。以爲被虎狼所傷。付之無可奈何。豈知郎被流丐拐至武昌。亦賣與姚姓爲子。久而漸忘家鄉。年十八。亭亭一表。博通今古。因繼父母雙亡。丁憂在家。不能應試。鄰有張毅齋。原任江南監司。遭世亂。隱居武昌。生一女。名倩倩。與郎同歲。見郎老成有器量。欲以女妻之。恐其年幼少歷練。而謂曰：『處亂世之道。宜習一何業？』又曰：『惟出外經商。既可覓利。又可歷練世務。』郎苦無本。張出貲貸之。因思其父在日。曾在松江販布。行中尚有欠賬未楚。遂別張。徑往松江。執父舊劵。討前欠。躭延未得。即歸。時姚長者自崑郎失後。娶數妾。並不生育。屢欲螟蛉。無中意兒。因思江南人才之地。必有堪爲嗣者。扮爲貧老。敝袍舊履行至松江。天緣相湊。恰與郎同寓。郎一見。加禮十分。敬重長者。曰：「老漢窮朽。何足當客官過謙？」郎曰：「翁姓姚。我亦姓姚。皆係湖廣人。見翁如見我父。安敢不敬？」越數日。敬不稍衰。長者察其誠也。笑謂曰：「我年踰六十。尚無子。爾肯爲我後乎？」郎曰：「吾父母雙亡。時切風木之悲。今得翁以父事之。可慰平生思慕之志。何不可之有？」即拜爲父。一切起居侍奉。小心翼翼。過於親生。長者猶恐其僞。假意苛求。或嫌飲食不佳。或云做人不妥。動加呵斥。郎並無怨言。惟跪而認過。歷試無異。遂命收拾行李回家。郎曰：「賬目未清。去何速也？」長者曰：「兒以吾爲窮老人乎？吾爲無子。四處求賢。今得兒。繼後有人矣。吾家財素豐。世襲三品官。兒隨我回。不愁不富貴。欠賬何足介意？』父子登舟。將近武昌。長者取黃金三十兩付郎。曰：『以此還張姓之欠。還畢。即至襄陽家中相見。』父子遂分路。郎至武昌。見城郭殘破。張氏之居已被焚燬。尋人問之。云『張起復原官。領兵剿賊。兩月前。張憲忠破城。其女已被擄。』又有人云：『賊所擄婦女。裝入布袋。發賣。十兩一口。』生念現有之金。可作贖資。倘張女在內。亦足以報其德矣。遂至賊營。贖回三十袋。啓視之。多老醜。無張倩娘。有一媼。姓姚。襄陽人。即老父之妻。係賊破襄陽所掠者。生喜。認母。道其故。媼亦大喜。曰：『張倩娘與吾同拘一室。此女美而多智。被掠時。即用巴豆末塗面。如生惡瘡。賊不敢近。白布袋有血點者是也。兒速往。尚未賣也。』郎取銀。買回。果倩娘也。遂資助衆難婦。各回。攜母與女回家。至則父已先歸。幸貲財埋地中。未爲賊取。見郎與妻同回。夫婦相持痛哭。細問得其詳。父曰：『兒能敬老無父而得父。吾能慈幼無子而得子。皆天數也。』遣人寄書達張道喜。張覆書云：『此子久欲贅之爲婿。今爲翁子。小女又在尊府。天緣奇遇。宜擇吉合巹。』女亦知父有此意。並不推辭。遂成伉儷。一日。郎洗足。母見其足心有七星紋。曰：『吾所失之子。亦有此紋。兒莫非是崑郎乎？』郎曰：『兒並非武昌姚氏子。記幼時上山遊嬉。被拐。餘皆不記矣。』母以告父。共認之。眞其子也。一家歡慶。不啻登仙。郎鼎革後爲顯宦。姚張二姓。世爲婚姻不替。

夫妻巧遇（二）

嘉靖間。蘇州黃彥士。儒生也。妻顏氏。情好甚篤。值倭亂。偕避難。婦與夫忽相失。皇遽奔走。暮投宿古廟。門內先有人。婦驚避。門內人曰：「娘子無恐。我尼也。」因相與俱。迨旦。尼曰：「少年婦恐人物色。我行囊中尚有緇衣僧帽。可改妝。」婦從之。結伴而去。生既失婦。度不免於難。尋訪三年。絕無音耗。孑身流離。僅以書傭度日。適同窗友宦浙中。往訪之。道出嘉興。値巡海兵至。舟子不敢渡。生登岸投廁。見枯楊隙中有物焉。手探之。得金一函。喜曰：「此天賜我也。」再探得緣簿一本。列布施者姓名。凜然曰：「莫謂遺金可取。須念三寶中來。」乃停舟候之。閱兩日。有老尼以頭觸樹而哭。生遽問故。曰：「向者發願塑大士像。募收三十金。昨因大兵猝至。無處藏匿。納之空樹中。今已矣。我其死矣。」生急還之。尼謂之曰：「感君活命。不忍遽別。我菴去此二十里。盍過一飯。當向大士前陳君盛德。一生許之。及抵菴叩門而應聲出者。卽顏氏也。相見大哭。各述前事。爲流連數日。有鹽商汪某聞之。聘爲館賓。後援例入國學。選授二尹。轉府判。生二子。一爲明經。夫婦俱以上壽終。

夫妻巧遇（二）

滬之西。有蔣生者。風流瀟灑。博學多才。幼失恃。父爲巨賈。繼母周氏。生一子。厚己子而薄生。父歿。周氏掌家政。居處不慣。無郎與記室趙某結不解緣。生年逾弱冠。尚不爲婚。生有舅憐之。啇之周氏周氏爲納貧家女。諸事草草。聊以塞責。女李氏。舉止嫻雅。具大家風。而周氏待之虐。少不當意。卽呼斥隨之。且以某赤貧無匳具。時復揶揄之。百端蹂躪。而女處之泰然。無少怨讟。生大不忍。籌遷居。女不可。後有介紹蔣生于津埠某富翁家爲西席者。女慫恿之。乃治裝行。依依而別。周妬女甚。欲謀之已久。不得隙。至是私慶得計。家有僕名炳生者。無惡不作之黠僕也。主僕相謀。詭計百出。一日。女方倚妝閣作女紅。忽獲蔣生電云：『臥病月餘。藥石罔效。氣若懸絲。』不禁大號。稟告周氏。欲往侍疾。周氏慨許之。命炳生伴之行。抵津後。止于逆旅。須臾。炳生偕一老媪。云：『來自生處。』女隨之往。至則屋僅二楹。景況蕭然。媪卽辭去。堂上一白髮老媪延女坐旁。一少年頗風雅。女匆匆詢生近狀。媪愕然不知所對。女知有異。乃述來意。並示函電。少年接視。急謂老媪曰：『誤矣誤矣。此吾總角交蔣君之夫人也。我當嫂恨彼傖奴。既離人之伉儷。復陷人于罪惡。幸遇我。否則殆矣。』翌日。少年偕女往訪蔣生。至則無恙。相顧駭愕。適從何來。遽集于此。悲歡離合。有非言語所能形容者矣。女乃具述姑氏無狀。歷歷如繪。蔣生歎曰：「人情險惡。至于此。夫復何言。且喜化險爲夷。重圓破鏡。未始非上天之默佑也。」越數日。生得家書。「謂女不慣獨處。每盛妝出。禁之益肆。今效紅拂私奔。雖偵騎四出。杳如黃鶴。不欲聲揚。致貽門第羞。希見字後。亦勿深究云。」生讀後。付之一笑。年餘。生得舅氏書。述周氏將遺產蕩盡。并遣回祿。周及幼子俱罹于難。草草棺殮。無人料理云。

夫妻巧遇（三）

桂林某鄉有徐某者。工心計。其友黃某娶妻美而豔。徐羨之。屢欲勾引。礙于黃某不敢發。于是由羨生嫉。日夜籌思。務求如願。適黃失業。徐忽得一計。謂黃曰：「距此三日程。某鄉校缺書記。子能往乎？余當介紹。」黃感謝。以應。隨倩徐偕往。舟行百餘里。抵一山。徐謂黃曰：『此處風景絕佳，曷不一遊。』黃信之，相偕登山，徐宛轉引入深林峻崖間，出不意，擠黃墮崖下，料其必死，佯哭下山，至家僞作慘悼狀，謂黃妻曰：『汝夫失足跌落崖下，生死未卜，余一人力不能救，奈何？』婦聞而大哭，黃勸慰停悲，並願僱舟導婦前往尋覓——究屬生死若何，婦收淚感叩，因請速行，及舟抵該處，徐又引婦上山，至岩石隱幽處，擁抱求歡，婦呼救無應，正惴急間，忽腥風突起，有斑斕大虎，口銜一物，從山岩衝下，見有生人，怒吼躍撲，銜物脫落，轉銜徐去，婦驚暈，比醒，視虎口落物，即其夫也，胸次微溫，似尚可救，撫摩良久，其夫忽蘇，張目見婦，疑在夢中，各述其故，相抱大哭，蓋黃被擠，適在墮藤蔓之中，緣藤而上，得慶更生，三日未食，飢疲困臥，又被虎銜，驚痛昏厥，至此始甦，于是妻扶掖登舟而返。陷人自陷。天理昭昭。洵不虛矣。而夫適遇婦救醒。相扶而歸。可謂巧也。

巧衞其妻

張文啓福建人。與周某避寇入山穴中。有一美女先在焉。見男子至。倉皇欲去。張曰『去必遇寇。吾等誠謹人。決不敢犯』中夜。周意欲汙。張力止之。及寇退。張浼村老至穴中。問明父母姓里。送歸。未幾。有黃姓者納張爲婿——觀之。卽前避難女也。後張以婦產成家。生二子。皆登第。

巧全其女

清順治壬辰年。饑荒。漳州府米價至六十金一斗。人民互相食。凡逃難出城者。守兵計一家留一人。以供啖食。舉人謝鴻寄夫婦相啇：無可棄者。惟十四歲一婢。二歲女孩。可啇去留耳。謝曰：「婢無父母。八歲依我。何忍棄之？寧棄我女。」乃置於地而得出城。是日殺傷甚衆。獨謝一門無恙。惟少一寡姊。俄頃姊抱女來曰：「賊指我孩子：此呱呱者爲肉幾何？汝擕去。」一念之間。家口獲全。謝後登戊戌進士。

巧言格父（一）

原穀有祖。年老得疾。語多重複。穀之父母厭之。乃造一車。送祖於遠室。穀泣諫不從。因送之。收輿而歸。父曰：「爾安用此？」答曰：「留此以待父老耳。」父愕然感悟。卽迎其祖歸養。卒成孝子。後穀仕至卿位。

巧言格父（二）

常州蘇掖仕至監司。富而多吝。嘗置一別墅。反覆欲減價。售者情急。無可奈何。其子在旁。曰：「大人可少增金。兒輩他日賣之。亦得善價」。父愕然。自此少悟。噫。此子所言。可以醒世之減人自益者。

巧言格夫

明興化李春芳年十八及第。奉旨歸娶。一日臨鏡。忽大笑曰：「不料我竟中狀元。」其夫人故問之曰。「狀元幾年始有？」曰：「三年。」夫人曰：「然則三年也有一箇。」公心愧其言。自此折節卒爲名相。

巧計化妻

文安縣民某。娶婦美而不孝。每向夫前泣訴。言姑不仁。夫默然。一夕。夫出利刃與觀。佯謂曰：「汝言我母不仁。吾欲殺之何如？」婦曰：『甚好。』夫又曰：『汝且謹事一月。使人知汝孝。我母惡。然後暗行此事。』婦依言怡色柔順事之。過一月。夫又持刀問曰：『姑近日待汝何如？』婦曰：『比前略好。』夫曰：『汝再謹事一月看何如。』至期又持刀問之。婦曰：『姑今待我好。不可殺。』夫怒曰：『人生以孝爲先。父母之恩。殺身難報。汝不能敬事我母。反教我行此大逆。姑辦此刀。實欲斷汝之頭。豈眞殺母哉？姑寬汝兩月。使汝改過。以顯我母之慈。然後殺汝。』遂執刀砍婦。婦驚懼求饒。久之。方釋。後皆成孝慈焉。

觀此。則凡失愛於父母者。特患己孝之未純耳。若純。未有不能感動者。所謂瞽瞍底豫是也。

巧術化徒

昔尚書劉南垣請老家居。有門生爲直指使。以飲食苛求屬吏。郡縣患之。直指來謁。公款之。曰：「家常飯可食乎？」直指以師命不敢辭。自晨至午。飯猶未具。直指餓甚。比食至。惟脫粟飯一盎。腐一盂而已。直指食之。甘且飽。少頃。嘉殽美醞。羅列盈前。不能下箸。公强之。對曰：「已飽甚。不能也。」公笑曰：「可見飲饌原無精粗。饑時易爲食。飽時難爲味。時使然耳。」直指喻其訓。自後不敢以盤餐責人。

巧渡其子

方世隆好造渡船。以通斷路。以濟浮沉。後生一子。名雲路。任湖廣總兵。戰敗。爲賊兵所追。至一巨河。無渡。仰天大哭。忽有老人以一舟渡之。路問此地安得有渡船。老人曰：「汝父所造。」路疑之。及至岸。忽不見矣。路因知此。乃父造船渡人之報也。遂對天拜謝。追兵不得渡而返。

巧遇恩人（一）

明萬曆壬午冬。徽商某過九江。見江干有舟被刼。舟中人羣裸號泣。商泊而救焉。內有孝廉七人。各給衣食贈資斧以去。初不問姓名爲誰也。明歲癸未。卽登第者六人。其一爲蒲田方萬策。後分巡嘉湖。按部至檇李。憲副屠冲陽宴之。其時商以貲盡鬻身於屠矣。萬策見其侍宴大驚。呼至几前。詰其來歷。因曰：「爾記憶八年前活數人否」。商已忘。良久乃云：「曾在九江救失盜者」。萬策出席長跪曰：「恩兄也。七人之中我與焉」。卽告屠贖。至公廨。款月餘。贈以數百金。又來同難者贈之。商大富。仍歸於徽。救人獲報，卻於不求報處，巧緣逗出，由其善念最眞也。

巧遇恩人（二）

德州小李兒爲人運船。有商遺金十笏。李得之。船主遂訂以女妻之。數日商訪至。値船主他出。李盡還之。船主有戚。欲奪其女。乘間破之曰：「彼薄福人。終必餓死。不如逐之。」乃爲其子具聘焉。而子旋暴卒。後李又暑浴。得銀數十錠於魯橋下。取以市販。所投主者。卽前失銀商也。盡心爲脫貨。以酬其恩。竟獲倍息。船主卒。以女歸之。

巧遇恩人（三）

太倉州吏顧佐嘗以官事至城外賣餠江家。時江被讎誣盜下獄。顧知其冤。訴之官。得釋。江夫婦擕其女。甚美。至顧家。曰：「貧無以報。願將此女酬德。』顧固却之。後顧滿考赴京。撥韓侍郎衙門辦事。一日。顧以事至侍郎私寓。値侍郎他出。顧坐堂楹候之。其夫人偶出。急趨避。夫人一見。令召之。惶恐跪階下。夫人曰：「起起。君非太倉顧提控乎？識我否？』顧愕然。夫人曰：「我賣餅女也。鬻於商。商以女畜之。嫁充相公少房。尋繼正室。每悔無由報德。』侍郎歸。夫人語之曰：『仁人也。』竟疏上其事。乃除禮部主事。後至顯官。

施恩不求報。而報之倍厚。此君子樂得爲君子也。

恩義巧報（一）

晉趙盾佃首山。見桑下有餓人。提彌明也。與之食。已而爲晉宰夫。盾勿知也。晉靈公飲趙盾酒。伏甲將攻盾。彌明知之。恐盾醉不能起。進曰：『君賜臣觴三行可以罷。』盾去。靈公伏士未會。先縱狗齧之。明搏殺狗。已而伏士逐盾。明反擊之而脫盾。盾問其故。曰：「我桑下之餓人也。」問其名。弗告。因而亡去。

恩義巧報（二）

吳王欲殺袁盎。使一都尉以五百人圍守之。先是有从史盜盎侍兒。盎遇之如故。人告从史言：「君知汝與侍兒通。」乃亡歸。盎追囘。以侍兒賜之。適从史爲司馬。守盎。乃以醇醪飲士卒。醉而臥。司馬夜引盎起曰：「可去矣。吳王期以旦日斬君。」盎曰：「公何爲者？」曰：「臣故盜君侍兒者。」盎驚謝曰：「公有親。吾不可累公。」司馬曰：「君去臣亦亡。避吾親。君何患？」乃以刀決帳道出。

恩義巧報（三）

祖逖有胡奴曰王安。待之甚厚。及在雍邱告之曰：「石勒是汝種類。吾亦不在汝一人！……」乃厚資遺之。遂為勒將。後祖氏為勒族誅。安多將從人于市觀省。潛取逖庶子道重。藏之——為沙門時年十歲。石氏滅。南歸。

恩義巧報（四）

梁陰鏗與賓友宴飲。見行觴者。因回酒炙以授之。衆坐皆笑。曰：「吾儕終日酣酒。而執爵者不知其味。非人情也。及侯景之亂。或救之。獲免。問之。乃前之行觴者。

巧悟家佛

太和楊黼辭親入蜀。訪無際大士。途遇老僧。問何往。黼曰：「訪無際。」僧曰：「見無際不如見佛。」黼問佛安在。僧曰：「汝但歸。見披衾倒屣者。即是。」黼遂回。一日抵家。叩門已昏暮矣。母喜。披衾倒屣出戶黼一見驚悟自此竭力敬親手註孝經數萬言硯涸將乾欲下取水硯池已盈人以爲孝感所致。

巧計滅邪

西門豹爲河內太守見城郭蕭條人民寥落問吏胥曰：「河內素稱富庶兼連年豐稔若是凋敝何也？」對曰：「緣河伯娶婦之故此地有大巫者與河伯最契凡有女之家夜間河伯以兵甲遶其宅大巫即爲之執柯三老說合逼令其家獻女復派大戶備歷贈嫁至吉日將女擲諸河任其飄流是以有女者挈眷而逃有財者攜金遠避所餘者子遺之民耳安得不凋敝？」豹曰：「下次當令太守知之」至娶婦日豹朝衣執笏五馬雙旌儀從甚整大巫率衆徒與三老迎接乃一年老婦人見豹略起手貌甚倨豹慰勞畢

曰：「今日河伯嘉禮。太守願爲小相。可令新婦相見。」移時八騶擡一衫輿至。褰帷扶一少女出見。豹泣拜。豹視之良久。謂大巫曰：「爾衆婦中有能爲使令者否？」衆共舉一少婦。約年二十餘。豹曰：「適見新婦貌劣。福薄。未能供蘋蘩。煩爾至河伯府。致太守意。寬數日另選佳者。」不由分說。喝衆役將婦拋入河中。豹磬折以待。半晌不回。豹曰：「如此大事。乃令少年傳命。太守錯矣。」指一中年者曰：「煩爾往催。務速回。勿似前使誤事。」又擲之去。半日。依舊寂然。豹怒責大巫曰：「爾爲師長。毫無教訓。兩往許久不回。定在水府貪飲。爾須自往。」大巫再四求饒。豹曰：「爾肯饒新婦否？」衆役齊上。復擲之。豹命將衆徒與三老盡行綑縛。曰：「河水滔滔。去而不返。河神安在？爾等仗邪術圖利。致令芳姿麗質。付諸波流。白骨淒風。青燐泣雨。天怒人怨。律載左道惑衆。不分首從皆斬。今許爾至河伯府備驅使』盡推入河。改河伯廟爲鄉塾。自是人民歸業。數年。復富庶。

巧得錢財(一)

杭州酒家。卒以燒鵝飼客。門有懸鵝。毒蛇旋繞入腹。一行道者見之。私計曰:『人若食此。必毒死矣。』乃向酒家買此鵝。囊錢不足。因貸酒鄰之相識者。買之。陰埋鄰之隙地。而得金焉。酒家與鄰並爭之。曰:『是我所埋金也。』共訴於巴巡道。巴訊得情。乃嘆曰:『一念之善。天報若響。汝奈何欲逆天也。』杖酒家與鄰人。而以金歸行道者。

巧得錢財(二)

山西太平縣王姓爲最富。相傳其先有一諸生。言信行果。而家極貧。教讀鄰村。歲暮撤館歸。輒將所存之藍衫質之典舖以資度歲。新春必贖回披以上館。歲以爲常。一年持藍衫往質。店夥嫌其敝不納。生具道春間必贖。年例如此。試查故簿自知。店夥仍斥之。生歎曰：『我若開典舖。有以濟人急者。雖死屍亦必受當。』乃負氣披衫而返。途中爲棘刺所鉤。衣破。悒悒行數步。忽思歲除在即。此地來往頗多。恐棘復鉤他人衣。乃返。脫衫徒手拔棘。棘堅不可拔。因拾道旁樹枝。刨土挖根。根盡。而其中有空坎。白金見焉。稜以歸。正月焚紙錁其處以謝。則坎中藏金頗多。盡取之。乃開小典舖於前所質舖之對門。開張日。仍披藍衫祀神。聞店前喧爭聲。出視之。有人裹一死孩來當。典夥呵詈。其人爭曰：『汝家主人曾親口許當。」心知爲某鋪所爲。乃云：「語實有之。欲當幾何？」答云：「一兩。」如數給之。店夥無不怒且笑者。生持入後園中。掘坎埋之。坎底粲粲皆白金也。因以致富。甲於通省。遠近悉稱爲太平王。恤窮周乏。終身不倦。子孫皆守其訓。

巧得錢財（三）

明嘉靖丁亥。歲大饑。新建縣一民窘甚。家止存一木桶。賣之得銀三分。乃以二分買米。一分買毒。將與妻孥共飽而死。炊方熟。會里長至門索丁糧。無以應。里長遠來患飢。欲一飯去。又辭以無。及入廚。見飯。詬其欺己。其人急搖手曰：「此非君所食。」愈怪之。始流涕以實告。里長大駭。急取飯埋之。曰：「爾無遽至此。吾家尚有五斗穀。爾隨我往。負歸可延數日。或有別生理。奈何遽自殞。」其人感泣從之。及歸而出穀。則有五十金在焉。駭曰：『此必里長積償官者誤置其中。彼救我死。我何忍殺之？』急持還里長。里長曰：『吾貧家。安得此？殆天賜汝者。』其人固卻。久之。乃各分其半。自此兩家俱饒衣食矣。

巧得錢財（四）

江西臨川民周士元入山採茶。被荊棘鉤衣。向前跌踣。木刺入肉。流血不止。因念同伴諸人。俱由此路。恐亦被傷。乃忍痛坐地。用力拔去荊條。根下閃爍有光。視之。乃黃金一錠。持歸作本販賣。三年之後。遂成富室。　（按）世間儘有毒草惡木。能傷人害物者。若遇見。此當除之。以免害人。

巧保錢財

淸順治中。蘇州徐籀爲黃崗令。民間失火。延燒數百家。老幼男女露處哀號。徐憫之。捐貲買蓆。使暫搭棚棲止。其蓆未給民時。倘堆積堂前。適鞘解錢糧。盜知之。突入衙斬箱破篋。遍覓無有。遯去。鞘銀乃在堂前堆蓆下。盜不知也。檢之。無一失者。於是官得無恙。

巧得功名（一）

昔有二生同赴省試。一愚一黠。愚者自知少文。日夜拜禱觀音座前。求示場中題目。黠者嗤之。自擬七題。用綫香燒紙作字跡。使疑爲神佛所作。密置爐中。次早。愚者得之。大喜。遂竭力揣摩七義。入場一題不差。愚者得正魁。黠者被燈煤燒卷。貼出。造化之巧如是。愚者何嘗不便宜哉？

巧得功名（二）

巫山士子某。以關節豫購試題。自謂必捷。比赴省試。策馬過潼川射洪山。山上有飛石巖。峭壁陡絕。下瞰江流。忽有石自空而墮。正中其首。從者駭散。棄尸不殮。同學某繼至。殮之。殯於寺。是夜夢士子告曰：「某以强求功名。自速天譴。蒙君掩骸。願奉試題。助君獲雋。」同學某是科果預薦巖際巉石。至今存焉。

巧得功名（三）

豫省劉灼字見心見陝省解元與已同姓名。讀其元墨。愛之。朝夕揣摩。康熙壬子舉於鄉癸丑赴春闈。陝劉亦入都。造訪敘及。字亦相同。遂成莫逆交。一日誦其元作。擊節不止。陝劉憮然曰：「此道攻苦有年。但闈藝非出己手耳。」異而詢之。因得其實。蓋陝劉家貧授徒。主人助資應試。渡渭水。有少婦泣河干。問之。曰：「夫出外。

久困飢寒。欲投河自盡耳。』劉惻然。罄資濟之。借貸入闈。忽患腹疾。日暮猶未成稿。起如廁。有叟先在。竚久不起。乃共登焉。詢叟邦族。告曰：『予複姓皇甫。渭南某村人。三藝草成。頗自得。顧患痢。不能脫稿。今生已矣。君長者。願以奉贈。』閱其文佳甚。錄之。竟雋榜首。

巧得功名（四）

前清狀元。鮮外任者。畢秋帆先生沅及史漁村先生致光兩人。由府道洊歷總督加宮保。勳名之盛。則畢公遠勝於史公。公未第時。先由中書直軍機。應庚辰會試。揭曉前一日。公與諸桐嶼重光童梧岡鳳三。皆在西苑班。桐嶼應夜直。忽語公曰：『今夕須湘衡（畢公字）代我夜直。』公問故。則曰：『吾輩尚善書。倘獲雋。可望鼎甲。須早囘家以待若君書法。卽中式。敢作分外想乎？」語畢。二人徑去不顧。公怡然爲代直。及日晡。適陝甘總督黃廷桂奏摺發下。則言新疆屯田事。乃熟讀之。無何。三人皆中。時新疆甫闢。上方欲興屯田。及廷試策問。卽及之。公屯田策獨詳核冠場。擬以第四本進呈。上改第一。桐嶼次之。梧岡名在第十一。同直知其事者。咸嗟歎。趙甌北曰：「倘揭曉之夕。湘蘅竟不代直。則無由知屯田事。以書法斷之。其卷必不能在十本頭。而龍頭竟屬桐嶼矣。昔賢每教人學喫虧。至是而益信。亦湘蘅之性度使然。而福命卽隨之歟」

巧得功名（五）

山左平陰陳生。素端謹。家貧不能應試。親友斂金勸往。暮投逆旅。聞泣聲甚哀。詢之。主人歎曰：「家寒。只一子。性喜讀。常弄筆墨。不務生業。余責之過急。竟逃去。遺媳爲累。將轉嫁隣村馬氏子。媳不願。故悲耳」陳瞿然曰：「爾子雖久出。安知不返？況爾媳矢志堅貞。倘釀成命案。爲累不更甚乎？」主人悔悟曰：「事已成矣。期在明日。奈何？」陳曰：「無妨。俟其來。爲若計。」翌日。馬氏子至。陳反覆勸諭。馬爲感動。願以聘金另娶。而主人得金。業已償逋。旁皇莫措。陳傾囊與之。空手回家。村人慕其義。爭出貲助陳。抵省試畢。忽憶遺判語一條。懊恨而歸。仍經某村。村人爭相款留。俟榜。陳堅欲往。衆強止之。越數日。主人子忽回。父詰其在外何爲。曰：「數年爲大家抄書。前月回來。至省城。受雇入場謄錄。今事畢歸耳。」陳因問：謄錄時。有不完卷者乎？曰：「有一卷遺第五判。者我見其筆跡頗與我相同。因取他卷代爲足成。而加意謄錄之。尚記得是某縣某姓。不知將來得中否?』陳聞而驚。知為已卷也。直告而謝之。父亦述陳之高義。其子泣且拜曰:「是天使我報德也。恩人必高發無疑。」果中式。

巧得功名(六)

修符。山東兗州諸生。家甚貧。乾隆庚寅科鄉試。藉親友佽助。不滿十金。中途見夫婦賣子償債者。一念不忍。盡以與之。子然抵省。拮据進場。漏下二鼓。方假寐。忽夢有紗帽紅袍者告之曰:「今科闈題。須宋魯分股。方可掄元。」及題紙下。首題乃孔子於鄉黨一句。如夢中言立局。文思滔滔。若有神助。出場自揣當售。歸途遇賣子者。邀之留宿。抵寢見所懸畫像。即紗帽紅袍。告以題旨者。問之則曰:「某幾世祖也。」榜發果領解。

巧得功名（七）

句容某生。博學能文。好行陰德。值鄉試無貲。得親友贐儀十餘金。抵省寓東花園地藏庵。聞鄰舍有老嫗失養。不得已而賣媳者。分離前夕。哭泣甚哀。訊其子。則多年遠出也。生惻然憫之。爲輾轉作計。詭作其子家書。言「久商獲利。將歸。因賬暫留。先寄銀十兩。以資家用」。明發投之。老嫗得銀。事遂解。生入闈。夢有神告曰：「子獲雋矣。然必三場俱曳白。乃妙。」醒而竊笑荒唐。題紙下。方欲握管。恍惚夢神訶止之曰：「子欲落孫山外耶？卷有字。榜無名矣。」生仍不信。靜坐搆思。而心如廢井。緒似紛絲。日已曛。不能成一字。繼且神思困憊。竟入睡鄉。及覺。見提筐而過者。踵相接矣。無奈何亦交卷而出。出則精神陡健。聞藍榜已懸。趨赴遍閱。無已名。二三場。遂坦然曳白。迨揭曉。生乃賢書第二人。正錯愕間。戎騎遞令札至。啓視則闈稿具焉。蓋某令固名進士。由庶常降外。又檄作收卷官。以不獲衡文爲恨。得闈題技痒難禁。默成三藝。適接生白卷袖歸寢所。疾寫發謄。欲以試廉中之眼力。而惟恐生之不再來也。候二三場卷俱白。益大喜。始終其事。塡榜知已奪魁。意得甚。故遞札以達之。生詣謝。令笑問：「君何惜墨乃爾？」生以夢告。又問：「有何陰德致此？」生謙言：「無有。」固問。因微言場前寄銀事。令拱手曰：「是已。子代人作家書。天遺某代子作闈藝。所以報陰德者何。其巧也。」聞者以爲篤論。

巧得功名（八）

張某。萊郡人。生平行誼不愧孝廉。雍正壬子省試。漏下二鼓。陡見婦人搴簾諦視曰：『非也。』轉瞬失所在。張大驚。徧語同號。一老儒覺頷曰：『是爲我來也。先兄即世。寡嫂守志。忽有孀中冓語者。予恐爲門戶羞。勸令改適。嫂遽自經。後每試輒相擾。曾延僧懺悔謂庶幾可免。今復來尋。是終不我釋也。』言訖。神色慘沮。張方解慰。號板忽砉然撲地。硯覆卷上。墨汚殆遍。生曰：『今生已矣。夫復何尤。第所成三藝。頗堪入彀。君試錄之。倘朱衣點首庶知予半生淪落非戰之罪也。』張如言。榜發果售。

巧得功名（九）

徽州程孝廉。濱溪而居。溪小橋窄。一女探親過之。墮溪中。程急遣人救。衣履盡溼。不能歸。程命爲之烘燎。日暮。移宿館中；令妻與同宿。且日送歸。舅姑聞之曰：『媳非完女矣。』議辭婚。孝廉力白其事。乃止。既嫁。一年而夫亡。遺腹生一子。孀婦紡織教讀。常流涕語之曰：『汝若成名。當報程先生之德。』其子弱冠發解丙辰試京師。卷已完。忽大哭。程適與鄰號。問之。少年曰：『文頗滿志。就燈檢閱。不意焚落數行。成廢卷矣。』程曰：『子既無用。盍畀諸人？』少年曰：『謹以奉公。』程即錄入卷。榜發。果上第。少年請問曰：『公豈嘗有陰德耶？天故以我文爲公成名也。』程曰：『言陰德則何敢。第憶二十年前曾救一溺水女子。夫家致嫌。欲棄之。我力誓無他。得復諧合。惟此少可自慰耳。』少年流涕伏地曰：『先生即吾母恩人也。』因以母言告之。事如師禮。

巧得功名（十）

江南生郭長源應清雍正壬子鄉試。文機頓塞。聞隣號一老儒吟意吟哦。須之寂然。俄拍板大呼。趨視之卷上血迹淋漓而詢其故云：「三藝成頗自喜。忽神倦伏案。見二人來引至一處。宮闕巍峨。有王者南面坐。責吾前生負郭長源三千金。當酬以三藝。吾驚寤而鼻衄盈卷矣。此行已矣。但不知郭某何在？」郭瞿然曰：「卽我是也。」舉卷面示之。老儒拱手授草。遂冠多士。

巧得巧失（一）

陳組綬鄉試。寓樓有女。屬意于陳。陳弗顧也。同寓友知之。潛登樓。陳于後掣其衣至再。不聽。卒與通。未幾。陳夢神語曰：「某今科解元也。近因淫亂已削之矣。子陰德可嘉。卽以子代。」陳覺而告友。友弗信。榜發果然。此友終身不第。陳有詩曰：「男兒欲遂青雲志。須信人間紅粉空。」

既能持身。復能規友。榜上本無名。忽然作榜首。人間紅粉空。新詩自不朽。

巧得巧失（二）

前清乾隆間。有諸生蘇大璋者。治易有聲。夢天榜中式第十一名。偶與同經友言之。遂起妒心。訴於郡。謂蘇有關節。預知名次。乞究治。塡榜時。郡守在座。第十一名果習易者。乃以狀白監臨試官。俱曰：「設如所言。何以自解？」擬以他備卷易之。議既定。拆彌封。則自備卷而中式者。蘇大璋由中式而抑置者。卽訴郡之友也。一堂咋舌。士論快之。

巧得巧失（三）

魏徵爲僕射。假寐閤中。有二吏在簾外閒評。一曰：「我輩官職。悉由此老翁。」一日：『總由天公。』徵聞其語。遂作書付言由老翁者。
送銓部。內云『與此人一美官。』其人不知也。接書出門。忽心痛乃
倩言由天者。齋去銓部。問其姓名。即注補近職。而言由老翁者益
怏怏自恨。公怪而問之。具以實對。公憫然曰：『由天之說。非妄也。』

巧得巧失（四）

西谿龍霓在京邸。同年某行人過之。告以將避湖廣差。暫註門籍。
霓曰：『湖廣非遠差。況尊翁在堂。便道歸省。豈不善？反欲避耶？』
行人曰：『不然。吏部將選科道。若承此差。恐不得與選。吾姑避之。
則楊子山當行。』霓止之。不聽。遂稱病。註門籍。纔一二日。吏部開
選。行人勢不可即出。楊竟應選。得吏科給事中。行人仍得前差。徒
自恨而已。噫。以巧詐失之。以不巧詐得之。世間凡事似此者

極多。豈獨宦職？

巧得巧失（五）

歸安省察孫邦華就選北上。有姐夫某者亦以省察赴選。比選某得太原府倉官。華以候選無缺。且束裝歸。忽姐夫暴死。華乃語其甥曰：「汝父一生辛勤。已矣。顧文憑現在。盍使我冒爲之。得貲均分何如？」甥從之。華遂赴任。任滿共得七百餘金。乃與甥中分之。華自喜得計。復入京投文聽選。及掣籤則恰補其姐夫之缺。勢不可復往矣。涕泣而歸。夫使邦華能安分待時。則太原倉官依然官在。且可獨專其利。而將來遷轉。又未可知。今以一奸巧失之。可爲炯戒已。

巧得巧失（六）

明萬曆戊子大饑。穀價踴貴。崑山城北土窪。宜早稻。至秋有熟者。共珍之。鄉民楊立商販回。腰纏十八金。而舟空無所載。暮行見早稻大熟。約二畝。楊卽捋其穗以歸。抵家。知失金。急往覓之。見數人方暢飲田畔。聽其語。蓋田主失稻而得金。鄰父醵慶耳。楊不敢問。飲泣而還。從此謀事俱不遂而死。

巧斷訟獄（一）

閩縣令曹懷樸。一日於途中遇二人爭辨。執而問之。其一人曰：「某拾得銀一封。約重五十兩。持歸家呈母。母曰：「銀數太多。倘此人急需此項。失之恐有他變。亟應守其地而歸之。」某因到此等候。果遇此人尋至。卽以原銀退之。其人熟思許久曰：「尚有五十兩。汝應一併還我。」蓋其人卽欲藉此訛詐也。』曹詰失銀者曰：

「汝所失銀實是百兩乎。」曰：「然。」又語得銀者曰：「渠所失。係百兩。與此不符。此乃他人所失。今其人不來。汝姑取之。」復語失銀者曰：「汝所失之百金。少頃當有人送還。可仍在此候之。」其拾銀者持銀竟去。失銀者嗒然不能復置一辭。途中圍觀者咸稱快。曹之斷獄明決類如此。曹面貌枯槁而少鬚眉。相者謂其終身無子。後五旬外舉一子。且擢淡水同知。論者謂廉明之報云。

巧斷訟獄（二）

常州蔣煜爲麻城令。有賣腐人拾遺金五兩。攜歸語婦。婦囑候失主還之。鄰人目擊。俱爲嘆美。少頃遇失銀主。驗實全畀之。旁人高其義。勸失主酬銀五星。失主不肯。遂爭鬨。失主入稟縣。詐稱失糧銀十五兩。爲某所獲。止還三分之一。餘乾沒。懇追究。煜即拘訊。得其詐。隨召其婦及鄰人與劃分者鞫問。詞皆合。煜詰失主曰：「汝銀果十五兩耶？」失主詞不能改。應曰：「然。」煜顧謂失主曰：「汝失數。與彼拾數。不合。另有拾之者。可別訪。此銀與你無涉。」即給賣腐人去。失主咋舌而出。邑人稱快。

巧斷訟獄（三）

明嘉靖時。寶坻民湯咸。其兄成。富於貲。將死。出千金泣授咸曰：「兒幼。恐不能掌。弟可有之。俟兒長成。當給其半。」咸許諾。既而不與。成妻訴於邑令張公。不能決。適獲羣盜在側。盜見咸。呼曰：「此人素貧。今暴富。皆同吾劫貲也。」咸遽曰：「吾乃亡兄所寄。豈盜耶？」令笑曰：「此天遣盜。爲爾兄證耳。」遂盡判與兄子。

巧斷訟獄（四）

隋張允濟爲武陽令。民有以牸牛依婦家者。久之孳十餘犢。將歸而婦家不與。牛民訴于縣。允濟令左右縛民。蒙其首過婦家。云『捕盜牛者。命盡出民家牛質所來。』婦家不知。遽曰：『此壻家牛我無豫。』卽遣左右撤蒙。曰：『可以此牛還壻。』婦家驚服。

巧斷訟獄（五）

胡廷桂爲鉛山簿。時私釀禁甚嚴。有婦訴其姑私釀者。廷桂詰之曰：『汝事姑孝乎？』曰：『孝。』廷桂曰：『旣孝。可代汝姑受責。』卽以私釀律笞之。觀者咸稱快。

巧斷訟獄（六）

衡湘梅公。爲固安令。一日有內監餽公豚。蹄乞爲追負。公烹蹄召內監飲。幷呼負債者至前。訶之。其人訴以貧。公叱曰：『貴人債敢以貧辭乎？今日必償。少遲。死杖下矣。」負者泣而去。內監意似惻然。公復呼來。頻蹙曰：「吾固知汝貧。然則無可奈何：亟賣爾妻與子。持錢來。但吾爲民父母。何忍使汝骨肉驟離？姑寬一日。歸與妻子訣別。此生不得相見矣。」負者不覺大慟。公泣。內監亦泣。辭不願償。遂毀其劵。後公官至侍郎。功名特顯。（按）既不徇內監之囑託。復不傷內監之情面。使一片貪暴之心。潛移默化者。其機止在動其不忍之良耳。

巧斷訟獄（七）

宋林公壽莆人。講學漳浦。歲暮。歸途中有爲糧累者。械繫愁苦。鬻子得銀三兩。倉皇遺失。林僕拾之。林曰：「此欠糧者救命錢。速追還之。」近前哭聲震天。林曰：「汝欠若干。」曰：「八兩賣兒僅三兩。又失去命當死矣。』說罷。又哭。林以所拾銀還之。復取束修三兩贈之曰：「你先完此。可以少緩。待予歸一日來救你。」其人感激。到縣。縣役知其故。曰：「你尚欠二兩。何不於林取完。欲待彼來誑虛話耳。若不依我言。到官重責。誰饒你命。」其人依役所說。官拘林至。林以還金贈金歷訴。官問其人：「誰教爾反仇恩者？」其人盡吐役所指使。非小民敢負德也。令於是責役代償所欠。流三千里。請表林公壽之廬。而是年詔辟經明行修。令薦林爲第一。

巧得同官

甯波王錄當貢。其次爲李循模。李素無行而多狡術。百計攘得之。王生樸實。不較也。李入京。就選。徧謁鄉貴。夤緣入首相嚴嵩門。求爲順天訓導。嵩諭意銓曹。許之。於是揚揚自得。未掛榜前。縱步至順天學。登其堂。窺其署。徘徊良久。齋夫輩異其舉止。呵之。李大聲曰：「吾不數日當坐此。鼠輩敢無狀耶？」齋夫輩乃羣譁於吏部前。語聞。選司大駭。亟易以廣西一小學。怏怏去。未幾。身及一子一僕俱死於粵。明年。王生應貢就選。恰得順天訓導云。

巧得眞方

白岑遇異人授以發背奇方。甚驗。有驛吏欲得其方以濟世。與謝金數兩。岑以假方授之。而不效。後岑爲虎所咬。遺一囊於道。吏拾得。眞方在焉。

巧得原物

明天啓中。一大僚。聞報國寺僧藏定武蘭亭眞本。使人誘之來。辨眞僞。看畢。出所蓄一帖示僧。僧謬爲贊賞。大僚曰：「上人既賞鑑即以相易。何如？』僧不敢違。未幾。大僚事敗。籍沒其家。將古玩發於報國寺變價。原帖仍歸此僧。眞乃天道好還之報云。

巧歸原主

方城鞏固以機械治生。其鄰周氏家富。一日。男子相繼疫死。遺一老嫗幷十歲孫。固置酒延嫗。謂曰：『汝年已老。挾此美產。殊非善計。盍以產售我。我爲爾息。候汝孫長。產仍歸汝。』嫗喜從計。固因盡室徙居之。未一年。寇犯唐州。鞏氏家口盡被殺。無一得免。寇退。周嫗復歸舊業。

巧配貴夫

南昌李某業木。段某業針。劉某業星命。俱以嘉靖歲饑。遷楚省金沙洲。比鄰。鄉戚至厚也。李某有姪名橋。依於叔。工詞藝。授徒爲生。

劉閱其命當貴。因爲作伐。聘段女隆慶庚午。橋將應省試。欲娶女偕歸。而段妻中變。曰：「富貴未可期。奈何舍愛女適異鄉？」乃以贋女與之。橋與劉皆不知也。橋歸。即聯捷。擢守成都。過楚。餽遺段父母甚厚。其眞女適蕭氏子。習賤工。至貧窘。私羨贋者得榮貴。鬱憤而死。

巧得援救

廣西陳桂舫言：前年隨其叔由河南歸。路過洞庭。因風不利而泊。同泊船不下數百。適有流民小舟十數隻。舟中人多死於病。桂舫舟中帶有藥丸（如藿香六神丸之類）投之輒效。於是求藥者不一而足。後藥所剩無幾。有不能遍給之勢。其叔曰：「藥原所以救人。靳而不與。非義也。」乃傾所有給之。計救活者已數十人。次日風轉。各舟不約同開。波浪掀天。四望無際。及傍晚。離湘陰尚有十餘里。風忽息。衆心稍定。而船戶則惴惴然。謂恐其轉風也。勉强趲行。約離口岸不及半里。而逆風已起。俄風勢漸猛。兼以船大招風。不能攏進。不得已約衆水手及前船人。由小舟登岸。用雙條大纜牽之。船戶囑柱舫將舵握定。勿令偏向。衆甫登岸。而颶風怒發。船一起伏。約高丈餘。人力難施。竟有飄至中流之勢。正在倉皇。忽聞山後一簇人喊曰：「快來相救。」七八十人隨纜而上。一吶喊間。船已收口矣。衆方慶再生。詢之。卽昨日之流民也。蓋流民船小。未起風時。早已到岸。此若有神使之者。救人卽所以自救。良不誣也。

周濟巧報

何一德存心仁厚。慷慨。好施。家奈貧。力乏。不能遂志。惟於冬月措薑湯。夏月辦茶水。以解道路之渴煩。後遭兵困絕糧。一門無食。勢不能生。忽於庭中蕉上生一甘露。舉家取之不竭。經月無食不知飢餓。兵退。家中長少俱安。然無恙。

巧得神助

錢唐屠琴塢少負文望而有吏才。以嘉慶戊辰庶常出宰儀徵。官聲甚著。儀徵渡江赴龍潭向只小舟。倖遇風。往往覆溺。屠蒞任捐貲製二舟。仿鎮江紅船式。以濟渡人。咸賴之。丁丑六月屠以事赴金陵。即乘此舟。午後抵黃天蕩。暴風陡作。時尚在北岸。即泊舟繫纜下碇。以為萬全矣。俄頃雨益驟。風浪搏擊。纜中斷。舟漂出江心大溜中。如箭脫筈。鐵鹿亦浮。舟人僕從皆號泣。屠危坐艙中。祝曰：「余造此舟濟人。即以此溺。恐不足以勸善。若有神理。幸返吾舟。

』祝甫畢。忽見水手及輿夫五人躍入巨浪中。竟曳斷纜。瞬息抵岸。復下碇。舟乃定。時浪高於山。一起伏可數丈。舟人曰：『稍緩須臾。此舟散矣。』詢之五人。咸稱躍入巨浪時。各不相謀。昏昏然若有人掖之者。夫造舟濟渡。非爲己謀。而適以自救。信報施之不爽哉？

巧免橫禍

胡祕校與客圍棋。有屠兒入門。厲聲曰：『快算賬。』胡曰：『少待。』屠兒直上前。將棋局拋地。大罵。客不能堪。公和顏謂曰：『幸勿怒。』取簿勾銷。除欠公者不取外。與錢一千。米一斗。遣歸。次日聞其人已死別家。搆訟不休。蓋因其身負重債。先服毒藥。特來尋鬧。公善處之。無隙可乘。故移害別家耳。凡橫逆出於意外。彼必有所恃不忍則災患立至矣。

巧解冤仇（一）

臨安張公子有善行。後金兵犯界。公子伏古井中。夢見神謂曰：「汝前生在黃巢軍中。妄殺一人。今為丁小大。明日殺汝矣。」張怖甚。次日果有披甲持矛者。叱張出。欲殺之。張踰呼曰：「汝非丁小大乎？」其人駭問。張以神言告。其人歎曰：「冤宜解。不宜結。汝昔殺我。今我又殺汝。冤報何時得了？當留汝於此。」恐為後兵所傷。遂邀與同行。

巧解冤仇（二）

徽州商人程伯甯寓居揚州。好行善事。順治乙酉歲。城將破。夢神諭之曰：「爾一家惟汝在死數。殺汝者王麻子也。因汝前生殺彼二十六刀。今須償彼。』越五日。兵來扣門。程卽應之曰：「來者乃是王麻子乎？」兵驚問曰：「汝何以知我姓名？」程告之以夙因。兵乃嘆曰：「汝前世害我。今世我復害汝。來世汝又將報我也。冤冤相報何時休息？」乃以刀背打之。恰至二十六數而止。程得免害。神護佑之也

巧合假函

河南劉理順鄉薦後。久不第。讀書廟中。聞哭聲甚哀。問之。乃一人出外七年不歸。其母年老貧甚。欲嫁媳以圖兩活。得遠商十二金。晚卽歸商南去。姑媳不忍相別耳。劉聞之。急呼其僕曰：「取家中銀十二兩來。」僕曰：「家中之用已竭。止有納糧銀十餘兩。明早卽送至縣矣。」劉曰：「汝取與我。官銀再俟借當可也。」因作一

書。內倣其子之語。言離家七年。已獲利五百餘金。十日後便歸。先寄銀十二兩等語。覓人送至其家。姑媳得銀及書。以告遠商。商知其子在遠。取銀而解其議。惟筆跡非其子手書。里人曰：「書可假。銀不可假。」越十日。其子果歸。所得之銀。及所行之事。與書中一字不差。母以問子。子駭甚。但曰：「此神人憐我也。」每日合家拜謝天地而已。劉公是年會試。中崇正甲戌狀元。其人後於廟中見公題詠。乃知書銀出自公手。舉家往謝。公竟不認。

巧慶回生

戶部尚書馬森。父年四十。止生一子。甫五歲。夫妻寶之。婢偶抱出失手跌傷左額死。封翁見之。呼婢奔避。自抱死兒入。太夫人驚慟幾絕。擅倒封翁者數次。索婢撻之。無有。婢歸母家。日夜祝天。願公早生貴子。次年即生森。左額宛然赤痕也。夫奴婢犯罪之大者。孰如死。其子此事尚可恕。又何事不可寬乎。

巧變男性

當塗楊璜字希周。持己以正。丙戌歲。兵擾其鄉。璜戀祖父邱隴。不忍去。因匿妻妾與子於林中。以身守隴。兵見璜。趨執之。璜急投水。兵捨去。其子甫十歲。自林間見父溺。亦號哭奔溺。父子攜手而死。妻陸氏感悼幾絕。撫妾泣曰：「汝有遺腹子。吾死。誰爲吾夫撫者？」遂不死。自此每晨哭夫畢。輒禮佛祈祝生男。及歲暮。妾乃生女。陸氏泣曰：「已矣。無可復望矣。」族人咸欲分其產。族長不忍議。至小祥屆期。族親集焉。妾偶抱女臥。女忽呱呱哭不已。妾方夢魘。陸來抱女。溺。啓視之。則見其私處已易。女爲男矣。大驚異。急呼親族共視。親族無不愕然。因具聞於知縣張公。張公使人驗之。果然。一時傳播。以爲異事。此豈非忠良之報乎？

巧免誅戮

李時勉永樂中爲侍讀。應詔。諫十五事。凡十四事得允行。洪熙改元。抗疏論時政。上怒。命武士捶十八金爪。曳出。降御史。復以言事忤旨。下錦衣獄。先是肋骨爲金爪所傷。及是加梃。忽然自接。逾月而平。宣宗立。追怒時勉抵觸仁廟。命械至殿中面責。已又敕王指揮就獄中縛斬西市。指揮從端西門出。時勉已縛入端東門。遂不相值。上問觸忤仁廟之由。時勉一一誦之。至第六事。伏而不言。上屢詰。對曰：「天威嚴重。不能詳記。」上微笑曰：「是第難言耳。諫槀在否？」對曰：「已焚矣。」上曰：「忠人也。」命脫桎梏。復其官

巧明貞節

清時莆田林某會試北上。道經吳江。泊舟高樓下。夜半樓中火起。一赤體少婦從樓窗躍下。墜林船。林見其寒。將狐裘令自擁之。謂曰：『爾少婦到孤客舟中不便久留』乃載至彼岸。送至僻處。揚帆竟去。是科成進士。偕一吳江同年謁房師。房師謂林曰：『初閱賢契卷見油汚太重。棄之。夢入至公堂。見關聖批卷面云：「裸形婦。狐裘裹。秉燭達旦爾與我」晨起見此卷已在案上矣。爾必有大陰德。可告我』林述其事。吳江同年忽下拜曰：『墜樓人我妻也。是夜我他出。樓下一婢一嫗俱爲灰燼。度樓上人亦必不免。平明蹤跡得之。見狐裘燦然。疑有所私。斥之母家。不意年兄活其命而全其節也』房師嘖嘖歎異。並命同年生亟歸合破鏡焉。林後官至二品。子孫累世登第。

巧明奇冤

清乾隆辛亥春。京師德勝門外。一老人僱車往南城。未至而死。御者赴官報驗。日暮未及檢。命里甲二人守之。更深冷甚。守者各覓火向爨。既歸。屍烏有矣。懼罪。計無所出。有黠者曰。「吾見僻處厝一棺。已被挖。可偷其屍代之。」遂往發焉。黑夜間不復審視。匆遽將屍復置驗所。明日官來檢驗。則女尸也。項有扼痕。共相駭愕。嚴鞫守者。迫於刑。遂吐實。亟拘屍主至。嚴訊之。蓋西人某姓女。其父娶一後婦。婦本有夫。以貧故。偽為兄妹而賣之。以度生。某貪其色娶焉。前夫以親故。時相往來。某業賈。每出必竟日或越夕不返。其前夫得以交好如初。久之。為女所窺。懼發其私。謀並扼之。與女婉商不允。至夜强刼之。女號詈百端。婦計無所施。適其父以追逋赴通州。須十日方歸。遂共扼殺以滅口。比某歸。紿以暴病死。亦弗究也。至是鞫得其情。以二人抵罪。顧老人之屍烏有也。遍索弗獲。姑繫車夫與里甲以待。忽一日有老人言於官曰：「前日所失之屍卽吾也。吾夙有痰疾。冷則發。發則如死。至中夜醒。見黑暗無人。意御者棄我而去耳。暗中尋路自返。孰意與此大獄哉？」官出車夫及里甲。驗之確。並釋之。案乃結。噫。此天之不欲淫兇漏網。抑貞魂烈魄。假手於人以自明其寃歟。

巧償金錢

張奇好善樂施。偶出。見一道人負病臥路旁汚穢中。邀歸養之。病愈。求去。且云：「前寄二十金。今當還我。」張妻知其詐也。少以釵環相贈。道人必欲如數。張竟與之。絕不自悔。後張有子繫獄。將刑。吏急索二十金。為免死。張倉卒無及。忽一人自旁出代付之。子得免。熟視其人。即前道人也。

救蛙巧報

嘉興李涵春舟泊鎮江。夜聞蛙鳴竟夕。黎明起視。見隣舟載蛙數萬。云「販至江北售賣」。李心惻然。盡買放之江滸。及歸。其妻言子病幾死。於某月某日忽愈。李驚喜。計放蛙之日。即病愈之日也。因知為放蛙之報云。

放螺巧報

杭州阮起鵬自幼立願放生。有道士教以見飛蛾撲燈。漁人撒網。連聲默誦太乙救苦天尊。則物命可全。家中有池通外河。阮用無底竹筐一隻。如魚罩樣。插於池塘水草淺處。常收蝦魚之子。放入筐內。免爲魚食。後每見細魚盈池。尤好買放螺螄。費不多而活無算。康熙十九年。舟過富春。觸石底破。危險異常。幸漫水不沉。及泊岸視之。見魚數十萬頭。盤繞左右。其漏處則螺螄重疊塞滿。岸旁漁人見之。無不驚異。里人蔡春江爲作傳以紀其事。

放雀巧報

范軍婦患瘵疾。遇人授一方。用雀百頭。飼以藥。至三七日。取腦服之。卽愈。范如數畜雀。婦曰：「以吾一人。殘物百命。寧死不爲。」開籠放之。病亦旋愈。既而生子。臂上各有雀形如畫。

放鱔巧報

徽州高懷中業鱔麵。日殺鱔數千。一婢憫之。每夜分。竊缸中鱔從後窗拋入河。如是積年。一日。高店被焚。婢逃出。爲火所傷。困臥河濱。夜深睡去。比醒。而火瘡盡愈。視之瘡處有汙泥。而地有鱔行迹。始知向者所放之鱔救之也。高感之。遂罷業。

救蟻巧報

胡僖當省試。賃居潘氏園。蟻聚于室。以數十萬計。童子將焚之。僖曰：「以我一夕圖安。傷數十萬命。不忍也。」亟避之。迨入試。思窘甚。忽蟻聚筆端。文思泉湧而出。經義立就。遂得薦。

救鵝巧報

明末。杭州府庠趙某。仁慈不殺。歲盡。有以鵝饋者。家人欲殺。趙力止之。元夕。復請。又止之。逡巡至端陽。家人又請。趙怒。又得不殺。是月十七。趙病。至六月朔。甚篤。見青衣攝至一衙門。有投文者三堂官一一接覽。又見某某。弁楊嫗。亦攝至。正欲訊趙。忽見一鵝。擲體吐人言。謂趙曰「汝去。我代汝矣。」趙從舊路歸。見尸停棺蓋上。以魂合體得甦。而鵝於是日已自撲殺籠內矣。所見三人皆同日卒。

下編

巧殺其身（一）

浙中王大恩負人錢，慮索償，先定恐嚇之計，與賣藥者暗約曰：『凡令人買砒霜，乞與假者。』後索償者至，令人買砒霜，輒服之，索者驚遁，由是人不敢至其門。一日為父母所責，亦令買砒霜，適賣藥者他出，竟以眞者與之，遂服毒而死。

巧殺其身（二）

李犢事母至孝。一晚有客投宿，犢宰雞，客以為待己也。既而具飯，乃脫粟蔬食，客怒，不食而去。犢告曰：『母病思肉，山居無措，故烹雞以進，母不能及君，幸勿為怪。』客愈怒，是夕于屋後乘風放火。鄰里救火者競至，見風反火息，有一人手執炬，臥火中，視之，即晚

間投宿之咎也已死矣

巧殺其身（三）

金陵一生應試寓旅店對門宦家一女見而屬意焉試畢女令婢邀生夜會生懼損德不往同寓一生聞之乃冒作生以赴約昏夜不辨遂同寢焉適女父歸見閨門未閉突入見之大怒皆殺之明日放榜其不去之生已中式自喜曰：「使我去亦登鬼錄矣」

巧殺其身（四）

宋宣奇英性甚險有鄰人造屋將成英忌之夜往斷其柱脚忽而梁墜被壓而死

巧殺其身（五）

昔有一牟姓者住沿江水流甚急往來稻穀鹽布等船承載或重

卽便覆溺。年日登高覘之。凡舟過灘。惟恐其不溺。正眈視間。適其子後至。戲作虎吼聲。年驚。爲眞虎。墮崖而死。

巧殺其身　(六)

昔楊彥洪。密與朱全忠謀圍攻李克用。彥洪謂全忠曰：「胡人急則乘馬。見乘馬者則射之」。是夕。彥洪乘馬。適在李克用前。全忠因昏夜不辨。射之。中要害而殪。

巧殺其家

清乾隆時。荏平縣有一奇案。山西平陽令朱鑠者。性慘刻。所蒞之區。必別造厚枷巨梃。案涉婦女。必引入姦情。杖妓。必去其小衣。以杖抵其陰。使腫潰。曰：「看渠如何接客？」妓之美者。加酷。髡其髮。以刀開其兩鼻孔。曰：「使美者不美。則妓風絕矣。」語同寅官曰：

「見色不動。非吾冰心鐵面。何能如此？」後以俸滿摧陞別駕。赴任。挈眷至茌平旅店。店樓封鎖甚固。朱問故。店主人曰：「樓中有怪。歷年不敢開。」朱素愎。曰：「卽開何害？怪聞吾威名。當早自退。」妻子苦勸之。不聽。乃置妻子於別室。已獨攜劍。秉燭登樓坐至三鼓。有叩門進者。白髮絳冠老人。見朱長揖。朱叱：「何怪？」老人曰：「某非怪。乃此方土地神也。聞貴人至此。正羣怪殄滅之時。故喜而相迎。」且囑曰：「少頃怪當疊見。但須以寶劍揮之。某更相助。無不授首矣。」朱大喜。謝而遣之。須臾。青面者。白面者。以次沓至。朱以劍斫之。皆應手而倒。最後有長牙黑臉者來。朱以劍擊。亦呼痛而奔。朱喜且自負。急呼店主。至告之狀。時鷄已鳴。家人秉燭來視。則橫屍滿地。所殺者皆其妻妾子女也。朱大呼曰：「鬼弄我矣』一慟而絕。店主報官立案。

巧殺其妻

明正德中。海溢虞邑。居民漂沒無算。少定。有駕筏撈取貨貲者。一人操竿立水次。見一女年可十七八。手扶一笥。浮沉而來。將抵岸。其人利其笥。遂沉此女。及發笥視之。止一庚帖。乃其所聘妻也。其人亦痛恨而死。殺人而適殺其妻，天即假手以報之，益巧而奇矣。

巧失其妻

明萬歷間。鎭江王成與兄同居。兄久客粵。成私念嫂甚美。鬻之可得厚利。乃詐傳兄死。嫂號哭幾絕。設位成服。未幾。即諷其改嫁。嫂厲色拒之。適有大賈購美妾。成密令窺其嫂。果絕色也。遂議三百金。仍紿賈人曰：『嫂心欲嫁。而外多矯飾。且戀母家。不肯遠行。汝暮夜率徒猝至。見衣縞素者。便擁之登輿。則事成矣。』計定。歸語其妻。嫂見成腰纏入室。從壁隙窺之。則白金滿案。密語多時。止聞「暮夜來娶」四字。成隨避出。嫂知其謀。乃佯笑語成婦曰：『叔欲嫁我。亦是美事。何不明告。』婦知不能祕。曰：『嫁姆於富商。頗足一生受用。』嫂曰：『叔若早言。尚可妝飾。今吉禮而縞素。未便。幸暫假青衫片時。』蓋成獨未嘗以縞素之說語其妻。且婦又素拙。遂脫衣相易。并置酒敍別。嫂強醉之。潛往母家。抵暮賈人率衆至。見一白衣女子獨坐。蜂擁而去。婦色亦艾。醉極不能出一語。天明。成始歸。見門戶洞達。二稚子號啼索母。始知失婦。急追至江口。則乘風舟發。千帆雜亂。不能得矣。於是寸腸幾裂。不知所出。又念床頭尚有賣嫂金。可以再娶成家。及開篋視之。則以夜戶不閉。已爲穿窬者盜去。方拊胸慟哭。而兄適自客歸。肩槖纍纍。里巷咸來慶賀。嫂聞之。卽趨歸。夫婦相見。悲喜成。旣失婦。又亡其金。二子復伶仃啼泣。且無顏對兄嫂。慟痛之極。自經而死。

巧殺其子（一）

邵章爲商。饒有財帛。而貪求無厭。一日欲夜行。意有謀也。止一子。方弱冠。先父一程。行宿大樹下。憩睡以待父。邵至。不曉是子。但見衣襆。左旁一人熟寢。遂取腰刀刺其喉。取衣襆前行。天漸曉。見其衣襆。乃知殺者。卽己子也。痛恨無及矣。

巧殺其子（二）

蜀省歲饑。人有負米五斗過巫山村中。投宿一木匠家。匠與妻謀夜殺之。子不知也。夜與負米者同睡。至二鼓。負米者起如廁。匠持斧至臥所。昏黑中見一人睡正熟。卽以斧碎其首。呼妻曰：「速來。五斗米又屬我矣。」其妻舉火照之。則死者其子也。遂大慟。負米者自外聞之。驚逸去。且訴之官。執匠置於法。

巧殺其子（三）

廬陵吳唐。善射獵。嘗攜子同出。遇鹿與麑遊。唐射麑。麑之鹿悲鳴而去。唐伏草中。伺鹿出舐麑。又射斃之。俄又逢一鹿。射之。矢中其子。唐抱子而哭。聞空中呼曰：「吳唐。鹿之愛子。與汝何異。」驚視間。忽一虎躍出。搏折其臂而死。

巧殺其子（四）

民國二十年十月上海新聞報載：住居滬西佘山路張家宅之農民張阿秋年四十一歲。妻王氏。祇生一子。取名狗狗。年纔四歲。張夫婦愛之。本月十二日下午三時許。王氏正在田中鋤草。而阿秋亦在附近小茶館內休息。祇剩狗狗一人在家與鄰兒游玩。未幾。狗狗蹀躞至田中找尋伊母。詎走至橫瀝浜畔。（離張家宅約百步）偶一不愼。墮入浜內。菱白葦中。時阿秋適由茶館中回家。行經該處。突聞河中巨聲。浪花四濺。疑似係一大黑魚。遂回家取得魚叉。奔至原處。瞄準刺射。及舉叉上岸。則赫然一小兒也。是時阿秋已心驚肉跳。及細視之。不禁暈倒。（按阿秋向以射魚爲生）蓋愛子狗狗已被戳穿腹部。腸腑流出。氣絕斃命。矣。良久始撫屍大哭。

巧殺其子（五）

河南汝州婦某氏。嫁爲人繼室。生子。其前婦亦有子。方十餘歲。婦欲害之。一日炙麵作餅。勻毒其中。置廚間几上。前婦子外歸號饑。婦曰。「廚有餅可自取之。」拈餅入手。見赤頰人呼曰：「鄰媼具饌待汝。宜速往。餅不可食。」其子趨赴隣家。媼方會客。見子至。招入命坐。徐問所以。答曰：「赤頰人速我來。」媼訝。無有。索赤頰不見。斯須隔壁哭聲殷耳。媼走問。則某氏所生子。誤食廚間餅死矣。隣人怪詰之。毒由婦。憤甚。共訟之。婦具吐本謀。乃論如律。夫毒前婦之子。乃竟毒已子。即微人誅。神已酷其報矣。赤頰人從何來：一生一殺。轉移竟呼吸也。東海生曰：「豈惟婦哉。衛鞅處陽之車。周興食案之甕。毒莫不自及也。是亦餅也。」

巧殺其子（六）

蜀民李紹好食犬。前後殺數千頭。嘗得一黑犬。紹憐之。豢畜頗厚。

一日乘醉夜歸犬迎門號吠紹怒舉斧擊之其子自內出正中其首立斃一家惶駭急捕犬已不知所之紹後得病作狗嗥而死

巧殺其孫

德興程氏世以弋獵爲業家頗豐因納糧入郡城見市有鬻紙獸面者買六枚以歸分授六孫孫甚喜羣戴之戲堂下家畜獵犬十數頭見之爭前搏噬杖之不退六孫一時俱斃一切禽獸，皆知愛戀眷屬。昔河南潘樫入山，見一老猿與其子戲，發弩射之。初發，爲猿所接。再發中臂。度不能支，遂抱其子乳之，淚簌簌下。復摘木葉數片，盛餘乳在旁。始拔弩長號而死。有人心者，能無惻然？

巧受酷法

秦商鞅好刑名之學爲左庶長變秦法下新令行期年民言不便者千數嘗臨渭決囚渭水盡赤後孝公沒被害者告鞅反鞅出亡欲止舍舍主不納曰『商君之法舍人無驗者坐罪』鞅歎曰『

爲法自斃一至此哉』去之魏魏人不納復之秦秦人攻之車裂以殉幷滅其族

巧受酷刑（一）

唐武后時政尚嚴酷周興希旨暴刻殘酷殺人甚多或告興與邱神勣通謀武后命來俊臣鞫之俊臣與興方推事對食謂興曰：「囚多不服當用何法』興曰：『此易易耳取大甕以炭四周炙之令囚入中何事不服』俊臣乃索大甕火圍如興法因起謂興曰「有囚狀推兄請兄入甕」興惶恐叩頭伏罪論死流嶺南中道爲怨家所殺

巧受酷刑（二）

唐索元禮性殘虐武后將除異己者元禮揣知上旨即上書告變

因作鐵籠加囚首。或至腦裂死。又橫木關手足。展轉晒曝。或縛囚梁柱。縋石於頭。訊一囚。又牽連至數百。後坐受賕。下吏訊之。不服。曰：「取公鐵籠來」元禮乃服。死獄中。

巧受酷刑（三）

五代時閩王王鏻以薛文傑爲國計使。文傑多籍沒富人貲。閩人皆怨。吳人攻建州。鏻遣將救之。兵行在道。不肯進。曰。「得文傑乃進」。乃以檻車送文傑軍中。磔於市。初文傑爲鏻造檻車。謂古制迂闊。乃更其制。令上下通中。以鐵芒於向。動輒觸之。既成。首被其毒。

巧受酷刑（四）

唐懿宗時。路巖專政。尙殘酷。後因通賂。流儋州。至新州賜死。詔剔

取喉骨呈驗或言嚴嘗密請三品以上得罪誅者須剔取喉骨驗其已死俄而自及

巧害自身（一）

唐武則天自徐敬業之反疑天下人圖巳欲大誅殺以威之乃盛開告密無實者不問有魚保家者請鑄銅爲匭以受天下密奏其器一室四隔上各有竅可入不可出太后善之未幾其怨家投匭告保家嘗爲徐敬業作兵器遂伏誅

巧害自身（二）

閩將吳某新鑄一劍甚利禱於黎山廟曰：「某願以此劍手戮千人」其夕夢神謂曰「人不可發惡願吾佑汝使汝不死於他人手」後果以此劍自刎夫閩將止是空願而不免以身受報所以

然者惡其忍也至於微軀物命亦當時存不忍心不宜殘害

訐人巧報（一）

漢息夫躬與哀帝后父傅晏相友善時瓠山石轉立后與子雲祠之息夫躬告之時哀帝被疾下有司案驗雲自殺后棄市躬封侯後免官歸以家富恐被刼躬夜披髮向北斗持桑枝匕祝盜人上書言躬詛上逮躬繫獄躬仰天大呼血從鼻耳出而死

訐人巧報（二）

宋之信與常不器同窗肄業俱習書經二子皆負美才而常尤俊逸縣試常領案宋居第二心不甘服思欲傾陷之適府試招覆二子皆優選閱原卷批語常更勝益懷妬忌乃揑寫衆童公揭云常家貲鉅萬金關通線索欲謀案首遍貼府前郡侯雖知其誣但既

遭物議不便列首。乃以宋爲第一。常列十名外。相見時。宋每指天呼神痛罵捏揭之人。常益信爲好友。不我軋也。學院按臨。二子俱獲售。情意益綢密。同赴省闈。房考奇宋文。呈堂力薦。主司亦擊節歎賞。已列魁選。及揭曉。監臨取卷再加校勘。不意燭花落下。將卷燒燬。衆共咨嗟。因命以書經備卷易之。拆號塡榜。則自備卷而膺魁選者。乃常也。常後歷躋顯任。宋不及貢卽卒。

訐人巧報（三）

江西蔡氏。聚族而處。宗祠祭祀。輪房値管。一年該蔡繼宗輪値。有族弟蔡繼先出外貿易。其妻李氏少艾。獨處。夜被賊五六人入室綑縛。劫取衣物而去。衆皆疑盜有夥姦之事。然亦不過揣度。未有實據也。時逢秋祭。繼宗貼榜祠前。云「凡我族人有品行不端。閨門不謹者。毋許與祭。以辱祖宗。』繼先亦知此榜爲已貼也。然不到又不可。只得忍氣進祠。繼宗攔阻不容進內。且訐之曰：「爾妻赤身被盜綑縛。不能死節。爾之閨門。肅乎不肅乎。請自思之。」復對衆宣揚。編造李氏醜態。以實之。繼先羞忿欲死。遂挈妻遷往鄰邑。不敢再與祠祭矣。一日前盜被獲。供出夥姦是實。繼宗特往鄰邑。全錄縣供。遍貼通衢。繼先無顏。遠遷江南蘇郡。時繼宗之子。癡蠢醜陋。妻柏氏憎之。通其表兄王某。相約私奔至蘇州閶門。忽遇繼先擒住。送官。王某問徒。發遣。柏氏遞解回籍。繼先附字與繼宗曰：「向日拙婦被盜事出。無可奈何。屢承兄教。汗顏領受。今姪媳柏氏。貌比無雙。王某才同仙客。兩兩宵遁。被獲到官。供案昭然。嗣後再逢祠祭。弟與兄均與祖宗增光矣。恐兄之增光更甚也。謹全錄縣供呈閱。『江西兄萬不可住。弟在姑蘇。製有倣廬數椽。可挈嫂來同居。竚望。』繼宗一見。登時痰壅氣絕。

侮人巧報

廣城郭文彬。饒於財。曾官員外郎。爲人狂妄任性。高己卑人。時逢元夜。滿城士女出遊。彬於門前。紮鰲山一座。人物皆能自動。玲瓏奇巧。左有蟠龍。鱗甲閃爍。能吸水噴瀑。右有虎豹騰躍。勇猛如生。觀者絡繹。有西江流寓士人曹志美。偕妻金氏賞玩。因人多擠散。郭於廉內。見金氏少艾。命狠僕拉進。逼令侍酒。金氏喊叫不從。時志美尋妻不得。正在徬徨。忽聞喊聲。奔進責之曰：「淸平世界。何得無禮。」郭大笑曰：「爾這乞丐。不識抬舉。我富貴之人。恩及丐婦。屈尊多矣。謂爾妻容色能中我意乎？」呼諸婢出。皆錦裙繡襖。

翠遶珠圍。令志美觀之。曰：「較爾丐婦孰勝？」又呼衆僕侍立。俱靴帽鮮明。衣裳齊楚。又謂志美曰：「較爾乞丐又孰勝？」遂給紙筆令志美寫伏罪文。約：不合於元夜同妻無禮鬧嚷。懇免送官。志美見其炎炎之勢。只得照依書之。方得放出。是年同妻回籍應試。印中式。不數載陞至廣東廉訪使。時値正月。志美着破衣私訪。從郭宅前經過。適郭送客出門。一見志美。呼而笑曰：「爾非向年寫伏罪文書之人乎？窮更甚矣。」命取銀二兩。絮袍一件與之。志美故作感謝。次日履任。上元之夕。大張花燈。公署前。命紮昔鰲山龍虎。如郭昔年時。遍請衆紳。郭曾居官。亦得與席。一見志美。魂飛膽喪。叩頭請死。志美曰：「爾罪固所當誅。因前日送金贈袍。尚有人心。今待爾不死。今夕縉紳雅會。豈容越牛混擾」。名取儆氈一片。

使郭席地而坐。給以荳羮麥飯。食畢。郭謝賞志美。戒之曰：「富貴豈有定境。我今日如此待爾。迴憶爾向日若彼待我。眞是一戲場耳。」取扇一柄。援筆寫古詩一章以贈之。「君不見河陽花。今日如土。昔如霞。又不見武昌柳。春作青絲。秋作箒。人生馬耳射東風。柳色桃花豈能久？蕭相當年謁邵平。中庭百拜百不應。邵平後來謁蕭相。故侯一拜一惆悵。二子豈是大丈夫。窮通流坎皆偶爾。」郭得詩。愧赧欲死。

誣人巧報（一）

江西風俗。富家大室。最重將女許配文士。每當歲科兩試。貧儒紛紛得婦。有富室徐姓者。生女巧姑。年十七。姿貌無雙。女紅出衆。徐欲得佳壻。求婚者概不許允。一日迎新秀才。徐於大門垂簾令妻女觀之見有一生年未弱冠風流溫潤望之如玉琢人徐一見留神詢其從者備得家世回謂其妻曰：「適所見之生爲李氏子年亦十七府縣院皆居第一多才博學人人愛重得此生作乘龍客庶不負吾女才貌也」女雖不言私心竊喜次日即煩親友執柯生父以徐富有金帛又係宦裔許之不日將行六禮有孟姓者亦係富家曾求徐女爲媳徐嫌其子蠢陋拒之孟因此懷恨適與生父會飲在座多人孟明知兩姓婚約已定揚言謂衆曰：「徐某之女求配吾兒我因其女脚大而醜且有多露之譏故未之許諸公如有好門第相煩代吾兒作伐」生父係迂儒聞此言竟不審量遂毀前議女知流涕願死後其父復與莊姓聯姻迎娶之日女將裏衣密縫告其母曰：「一與之醮終身不改雖李家負義悔盟女

義無再適。聞奸人言：「女脚大貌陋。且有不正之行。」故忍死須臾待至莊家。使衆親友見女容貌。知前言是奸人飾說。並可滌不正之名也。』遂登車而去。南方娶婦之家。鄉鄰皆得看新婦。謂之鬧房。生與莊宅不遠。聞醜女過門。偕衆往觀。見女姿容絕世。不覺驚異失聲。女見生來。注目良久。兩行泣下。生亦哽咽。恐涉嫌疑。掩面遁去。是夜女粧瘋顚。不肯成親。絕粒七日。而香消玉碎矣。孟爲蠢子娶婦。家室不和。常相反目。一日新婦對鏡曉粧。蠢子從窗間潛窺。見一綠衣少年與婦並肩而立。持刀入室。吼聲如牛。方欲舉刃。祇得新婦人。尚修眉未竟。自此終日相鬧。不啻仇敵。遂致離婚。孟夢女塞其喉。醒不能言。指口而死。生後躋膴仕。亦終身不立正

誣人巧報（二）

穆必達賦性輕薄。好訐人之私。揚人之醜。甚至編造無影之詞。使受者不能自明。彼則欣然得意。有表親錢翁家頗豐。喜收古玩。穆以敝琴一張。假稱漢時焦尾。索重價。翁笑曰：『此眞爨下桐。只可供炊爨。伯喈見之。必發大噱。豈能留以至今。』拒而不買。穆因此懷恨。時翁有女及笄。名茜雲。聰明善詩。已字人矣。穆僞作淫褻之詞。書茜雲之名。逢人宣說。以致此女惡名四播。壻家聞之。恥而不娶。親友相勸。勉強過門。壻不肯成親。女大有識見。滿月之夕。邀壻至房曰：『妾以蒲柳之姿。謬主蘋蘩。自謂終身有託。何期見棄於君。此必誤信流言。遂至疑而莫解。妾聞青蠅玷璧。與璧無損。妾如果非。璧任君寸磔。自甘也。』壻從之。果係無瑕。夫婦由是和好。訪知前詩係穆僞造。卒童僕痛毆之。送監枷責。後穆之女自壻家歸宵。中途值大雨。徬徨尋避處。有女尼見而憐之。留宿庵中。次日閃傳女在僧寺過夜。有輕狂子編十三腔小曲。備形醜態。一唱百和。女竟無以自明。遂爲夫家所棄。穆誣人女而女亦被誣淫詩一首。曾敵十三腔小曲乎？天之巧於報復。蓋如此。

誚人巧報（一）

明漢州王生。好指摘人過。鄰人有喪子者。生斥之曰：「由爾惡極。故有此報」未幾生之二男皆病故。鄰人反誚之曰：「想爾惡更極耶？」又有族兄歲考列四等。生指之曰：「文實荒謬。安望優取？」次年生以科考列五等。族兄反誚之曰：「想吾弟文更荒謬耶？」人皆笑絕。

誚人巧報（二）

明末吳下秦生。力學多才。尤工詩歌樂府。惟好作謔語誚世。或見人形貌不堪。識面而一詩立就。或聞人作為可笑。入耳而一歌已成。其窗友黃緣入泮。作游庠詩一百韻以賀之。其鄰人帷薄不修。作黃鶯兒十首以贈之。繪影寫聲。窮工極巧。流播遠近。因此屢遭困阨。晚年病瘧發狂。自啖其糞。取刀劙舌。嚼而吐之。臭達戶外。又取斧自斫。節節支解。破胸裂腦而死。

詛人巧報

吳耀宗與詹爾選同里同學。文亦相為伯仲。二子交情甚厚。詹早年登第。吳屢困場屋。不怨自己命運。反遷怒於詹。處處與之為仇。編造無影之談以誣衊之。詹念前情且已分雲泥。付之不較。一日詹選河南理刑。傘旗至吳宅辭行。吳益懷妒忌。時適有言廣西右江乃烟瘴之地。仕宦到此。並無生還。吳乃爲文禱於城隍。求詹速貶右江。以快其欲。未年餘。詹丁內艱回籍。有人以吳禱神之事告之。詹笑曰：「昔王文博爲政平恕。決罪至流刑。必陰擇善水土處。眞仁人之用心也。其後子孫昌盛。我無罪而渠願我流貶。徒自壞心術耳。城隍有知。必不受禱。此等妬忌小人。何足爲較？」後詹服闋。內陞刑部司官。吳以歲貢。罄家貲夤緣選江西南昌縣丞。因通賄賂被參。發部議罪。照律斷擬。應杖一百。流三千里。所司擬流處未定。詹言及其禱神前事。尙書曰：『是可以其人之願。還治其人之身也。』乃流右江。吳因路遠。不能攜妻孥。隻身前往。至流所。不服水土。未及半年。得蠱脹病。服藥不效而卒。骸骨不能歸葬。遂爲客鬼。觀此則願人流貶者。徒自喪心術。招惡報耳。於人奚損乎？

詛呪巧報（一）

昔堰典之妻，嘗與人私，又竊鄰家手巾。鄰家詬罵。典乃呪曰：「我妻果與人私及竊汝巾，當爲雷擊，否則汝亦如之。」未幾，果斃於雷斧，典脅下有字曰：「癡人保妻。」妻脅下亦有字曰：「行姦爲盜。」

詛呪巧報（二）

蘇州盤門章惟一妻嚴氏，有妹嫁於木瀆徐姓。章妻往探其妹，竊其金釧以歸。妹知其姊所爲，乃遣嫗婉言索之。章婦怒，乃同嫗至廟詛呪，以自白。歸三日，忽舌長出一寸，口不能言，惟呼「還」「還」而已。一月死。夫乃開篋視之，則金釧宛在。其夫恐增其業，密還其妹。妹不忍變易，作佛事。

詛咒巧報（三）

清康熙戊申年地震。山左最盛。沂州有賈客以布百疋。錢十千。寄逆旅范氏。及地震後索之。范婦始唯唯。但與之布。匿其錢。客再索。婦指天咒曰：「如匿爾錢。卽刻壓死。」言未竟。而屋已傾。如其誓矣。其錢在牀下。

詛咒巧報（四）

蘇州施翁。仗義好友。一日遊虎邱。忽聞劍池旁有哭聲。趨視之。乃同硯桂遷也。問之。曰：「家貧負勢債。被逼計窮。欲來此畢命耳」。翁憫之。卽以三百金授之。桂向大士前叩誓曰：「某受施恩。今生不能答。來世當作犬馬報之」。泣拜而去。桂復登門謝。翁復畀以棗園一區。桂女復聯爲婚姻。後桂漸殷富。而翁家日替。翁歿。子施還孤。苦。無。依。桂聽。妻。言。諱負。賴。婚。從家會稽。還往投之。不納。索債。不認。還憤泣而歸。旋桂二子相繼夭亡。妻又病危。桂呼之。妻忽作其長子聲曰：「冥王以吾家負施氏恩。父有誓在前。吾兄弟與母三人。明早卽往施氏家投犬胎。二牡者卽吾兄弟。一牝而背有癭者。母也。父以陽壽未盡。俟明年八月。亦當作施家犬。以踐前誓」。言訖。遂絕。桂驚痛交集。方欲裹殯。而全居火焚。三櫬俱燼。家產蕩然。遂攜母至蘇。訪施子消息。猶疑施既赤貧。未知漂泊何所也。及至。則門牆煥然。氣象一新。問諸鄰人。知施還已登第。且已娶支參政女。桂羞恨不知所出。覓一舊識人。致悔過求見之意。且欲獻女爲妾。以贖前罪。施不允。懇之再三。始許一見。桂方入。突有三犬從牆竇出。環遶哀號。其一背有癭。桂知爲妻子也。痛甚。向施泣拜不起。因逃妻臨終之語。且云今已家破無歸。但愿恩人稍開一面。納女爲婢。吾亦厠身僮僕。終身力作。以免犬報。足矣。施見其情詞慘切。勉許之。桂後得無恙。

謊人巧報（一）

宜興某因訟累挈妻逃溧陽。舟師悅其婦。謂曰：「我多熟識。與爾同去覓舍。」舟師至山下。打死其人。回船曰：「爾夫已落虎口。」婦泣。舟師曰：「毋苦。我與汝成配。」婦疑。乃曰：「見遺豈能盡食？願見遺肉一臠。當惟命。」舟師領婦假尋。遇一虎。搏舟師而去。婦曰：「此眞有虎。」哭甚哀。路人詰之。婦以實告路人曰：「我來縣前。見有打死復活者。控告舟人。」婦詣縣門。遇其夫。復完聚。

天道好還。假虎。便逢眞虎。

謊人巧報（二）

荊溪二人相善。一豐一蹇。蹇子妻美。豐子設謀。謂有富家可投生計。具舟幷載其妻以行。將抵山。謂曰：『留汝妻守舟。吾與汝先往詢之。』引至林中。出腰斧斫死。佯哭下山。謂其婦曰：『汝夫死於虎矣。』婦大哭。偕上山尋屍。引入深處。擁而求淫。婦不從。忽虎出嚙豐子去。婦驚走。以爲夫果落虎口矣。悲恨無聊。俄見一人遠哭而來。至則其夫也。各道所以。轉悲爲喜。歸於里中。

教課書上有牧羊童謊說狼至一節。與上二則同。

巧在同時（一）

清康熙乙巳。杭城大火。日夜不息。延燒數千家。官吏俱往救之。衆見火中有金甲神人持紅旗左右指麾。圍繞一宅。火至輒回。及火止。瓦礫中此宅子然獨存。乃北新關吏顧某家也。時顧奉差往江南未歸。室內僅婦子數人耳。衆咸訝。莫測其故。方顧赴江南舟泊蘇州河側。薄暮見一少婦沿水哭泣。問之。則曰：「妾夫因欠糧五十金。繫獄嚴比命在旦夕。不忍見夫先死來尋自盡耳。」顧卽解囊中五十金。付之。婦拜謝而去。歸舟復經其地。偶入酒店飲。對門卽前少婦家。婦見而告其夫。邀入室置酒款洽。因留宿。夫謂婦曰：「活命之恩無以報。汝當伴宿以酬之。」夜半婦就顧寢。顧毅然拒之。再三。披衣起。避。歸舟中。抵家。慰問者踵至。詢有何德而能囘天。若是顧惘然。因問之。因舉前事以對。衆屈指計之。與起火之時。適合焉。

巧在同時（二）

順治四年許某從大兵入粵浸縣令時聲教初訖新附之民在城中者皆遵新制而山野鄉村多不剃髮兵卒擒解長髮百姓十四名指以爲盜實愚民也許即以盜申帥府殺之殺時爲正午刻是日也許家眷來署未至縣百里乃遇眞盜磬掠行李亦殺男女十四口恰在午時

巧在一地（一）

宋章惇爲尚書左僕射報復讎怨謫蘇轍於雷州不許占官舍轍遂僦屋民居惇又以爲强奪民居追民究治徽宗時惇亦貶雷州適問舍於是民民曰『前蘇公來爲章丞相幾破吾家今不可也』後徙睦州卒

巧在一地（二）

宋盧多遜貶朱崖。見一店嫗。舉止和淑。能談京華事。盧訪之。嫗不謂盧也。曰「家故汴都。累代仕宦。一子事州縣。爲盧相國誣竄南方。到方周歲。盡室淪喪。獨殘老嫗。流落居此。意有所待。盧相欺上枉下。倚勢害物。天道有知。行當南竄。未亡人庶見於此。以快宿憾耳」。盧不待食。促駕而去。

巧在一地（三）

宋盧多遜貶朱崖時。李符謂趙普曰。「朱崖雖在海外。而水土不甚惡。春州雖在內地。而至者無生還。曷若改竄春州」。普不答。未幾。符亦坐事竄宣州。上怒未已。或以符語奏上。卽日將符改竄春州。到未浹旬而卒。

巧在一地（四）

唐李德裕爲相多所修怨。後謫朱崖。于城南禪院。見僧壁上掛十餘個葫蘆。德裕問曰：「中有藥物乎？」僧曰：「皆人骨灰也。太尉以私恨貶逐朝列死于此者。老僧憫之。焚收其骨。俟其子孫來耳」。德裕聞言。悚然返走。未幾。心痛而死。

巧在一地（五）

六朝時。劉毅驕縱。劉裕率軍襲之。兵散。毅夜半率左右開北門突出。投牛牧寺。初。桓蔚之敗也。走投牛牧寺僧昌保藏之。毅殺昌。至是僧拒之曰：「昔亡師容桓蔚。爲劉將軍所殺。今實不敢容異人」。毅歎曰：「爲法自弊。一至於此」。遂縊而死。子姪皆伏誅。

巧出一轍（一）

李斯韓非俱事荀卿。斯自以才不如非。一日秦王覽韓非說難書。

恨不獲見。及韓王遣非使秦。秦王與語大悅。李斯懼分其寵。譖之下獄。又以藥酒遺之。非欲自陳不得見而死。後李斯為趙高所譖。亦欲自陳不得見而死。識者以為天道好還。

巧出一轍（二）

秦與縣司大者。里中富室陳氏佃也。家貧不能輸租。欲以所佃田轉質錢於他姓。田旁有李慶四者。潛賂主家兒奪其田。復輕其直什之一。司不平。歸而見李與諸作券者。殺雞治酒。因隨之往。李欲却司。先以一卮飲之。司益恚恨去。對妻語所以。且誓必報。妻諫曰：「吾之窮命也。奈何仇人哉？」不聽。夜持炬往焚其家。聞內有人娩。司竊念吾所仇者。其家長也。何忍殺其母子。遂棄火溝中而歸。既而無以為生。即所償錢為豆乳釀酒貨賣以給食。久之。家漸饒。

而李日益貧。仍出田質他姓。司還用李計。復其田。又減前直之一。爲券悉値前人。相視驚嘆。司欲泄前恨。亦具雞酒飲。亦如之。李不自反。怒其薄。已也。歸積膏火破盎中。夜抵司門。司妻方就蓐。李猶豫間。聞人啓戶聲。棄火急走。實未有人出也。司旋得火器於場。驗器底有李字。喟然曰：「昔我焚彼家。因其產兒而止。今我適亦以產兒得免。此天也。非人也。」遂持錢五千詣李曰：「昨小人無狀。未及共飲。茲願少伸謝。幸無督過。」李疑之。紿以疾。强之。始起。同入酒家。司捧觴謂李曰：「君之子某年月日子時生。而吾子亦前夜子時生。怨仇之事。愼勿復爲。」因具道始末。瀝酒爲誓。且語酤兒曰：「爾識之。用此警世間人可也。」劇飲盡歡。更約爲婚姻。自是兩家俱致富。通好益密焉。

巧出一轍（三）

李緒知永安軍時。大盜方起。恐及禍。乃薦范鍘代己。於是鍘知永安。緒得離任。後盜破永安。鍘舉家被害。未幾李緒改任杭州。路遇劫賊。亦舉家被害。一還一報。豈不捷如影響乎？

取巧反害（一）

明萬歷初年。某村中有三人同行。前臨一溪。值溪水泛漲。而舟在彼岸。中一人最愚蠢。二人誑其脫衣浮水取舟。出沒湍流。幾至滅頂。僅獲濟。復竭力撑舟來渡。二人登舟。愚者忽肚痛欲泄。亟登岸。二人揮手曰：「日已暮矣。不能候汝。」遂撑去。俄而水急。舟橫抵岸。一觸即覆。愚者以在岸得免。

取巧反害（二）

明嘉靖甲午歲。楚黃江縣有一山洞可容數人。適風雨驟至。同行者四人入洞避雨。已而虎踞洞口。四人中有一愚者。三人私計謂投一人啖虎。虎必去。遂誑愚者曰：「汝先出驅虎。我輩隨後擊之」已而愚者出。虎爪而坐之。不傷。亦不去。俄而洞崩。虎即驚去。愚者得脫。呼村民往救。三人壓死矣。

取巧反害（三）

保靖州人楊太王周錢火兒同一駿漢避雨崖下。俄而虎至。三人共推駿漢出以當虎。崖忽崩。虎驚逝。駿漢反得免。而三人俱壓死。

（按）本條與上條情節相同。或是一事。

取巧反害（四）

李士衡爲館職。奉使高麗。武弁余英副之。所得禮幣贈遺。士衡皆不經意。一切委英。英恐過海舟漏。盡以士衡之物藉舟底。以己物置其上。及入洋。大風幾覆舟。舟師急請減所載。英倉皇不暇擇。信手拋之。約投及半。風遽息。舟定。檢點所投。則皆英物也。士衡之物在舟底。一無所失。

取巧反害（五）

衛輝府有張三李二。同過黃河。時值大寒。河水凍合。無舟可渡。張性狡猾。惟恐冰薄有傷性命。乃給李先過。找寓與所。李不知其以已試險也。履冰而行。仍攜酒肴回。與張禦寒。張飲食畢。猶恐不穩。復紿李再往兩次。冰堅如地。張乃放膽。同行。兩人相去丈餘。至河心。有響聲如雷。張足下層冰忽解。身落水中。李以前行。得登岸。無恙。至天暖冰消。張之屍已不知落何所矣。一日現夢於其妻曰。「

我因捉弄獄人。觸怒河神。將我溺死。罰令當差。晝夜辛苦寒冷透骨。速將棉衣救我。』妻醒。即以棉衣數件至河邊焚化。是夜又夢張來告曰：『所與棉衣。盡爲衆鬼搶去。控訴河神。因我罪大不准追理。城外村中有鍾爲善者。其人一生熱衷冬施薑湯爲人禦寒。河神最所敬服。可速做紙衣。訪鍾求其親筆寫鍾某給字樣。則鬼不敢搶。河神庇護矣。』妻如其言。以紙製衣。訪鍾求之。鍾援筆書曰：『張三張三。危人自安。棉衣一襲。爲爾却寒。某年月日鍾善心給。』妻自是不復夢。

害人巧報（一）

淮南陳徐二人。皆業渡。陳便捷。獲利較多。徐嫉之。每暗損其篙櫓。一日同宿江邊。徐又取陳櫓暗損之。天明。恐事露。先開船去。至江中。忽失足落水。大呼求救。陳急往救。而櫓已斷。舟不能行。徐在水中叫曰：「我暗損爾櫓。今明絕我命」。言訖。遂沉。

害人巧報（二）

林希爲中書舍人。章惇欲使典制誥。逞毒於元祐諸賢。且許以執政。希久不得志。遂請甘心焉。凡元祐諸臣貶黜之制。皆希爲之。備極醜詆。草制罷。擲筆於地曰：「壞名節矣」。後得病。十指俱落。舌爛而死。

害人巧報（三）

張獻若好誣衊。訐人陰事。雖至戚亦遭其媒蘖。正德乙卯。行過南教場。空中飛一石彈丸。正中其額。還家流血斗餘。舌出數寸而死。

害人巧報（四）

明成化中吉安知府許聰以嚴酷逮京論斬。聽得罪時。同知黃景欲得聰位。下石益力。尋代之。後亦爲怨家所訴。逮京論斬。在獄病死。屍腐。首忽自落。如聰。是乃殺人正自殺耳。

賣友巧報

周師厚與張商英素交好。師厚有所餘官酒。託商英賣之。商英奏於朝。周坐貶。後商英以舉子某囑舒亶。亶曰：「是嘗訐周師厚者。」亦繳奏其薦。奪商英官。

貪吏巧報（一）

邵某爲郡守。詭言給餉。令吏持券徧貸於諸富人。實盡乾沒。歸家宦囊充足。建石坊。賀者塡門。邵送客過坊下。石墜壓死。貪吏恃勢侵奪人財者鑒之。

貪吏巧報（二）

蘇州有徽人俞柱開張典舖。生女端姑年已及笄。未字人。時訛傳點選繡女。民間紛紛嫁娶。俞欲得佳壻一時難覓。鄰人張翁云：『表姪蘇茂才年方弱冠。新入庠序。但家道貧寒。若不嫌辱門下。願爲作伐。』俞大喜。許之。卽日過聘。後數日。點選之事。竟屬傳聞。俞以女配窮儒。不免懊悔。適妻兄程朝奉帶其子自徽來省。俞命其女出見。嫣然嬌好。程曰：『甥女長成。亦曾得乘龍客否？』俞告以誤配之故。程曰：『幸未合巹。尚可轉移也。我薄有家業。子亦不俗。何不買囑一人作原媒。云甥女自幼憑伊許配吾子。今來就姻。爲劣衿霸聘。赴縣控告。拚以千金送官。何愁不濟。』遂重價延訟師寫詞。卽賄伊作證。縣令朱愛陶浮梁人。性喜賄賂。知兩造俱係富室。大有可啖。批准拘訊。得俞程銀各四百兩。庭質時。蘇出庚帖爲據。原媒張翁爭辯尤力。愛陶判云『事急轉許。乃愛女之心未損明珠。應還舊浦。張不合以有夫之女妄執斧柯。責二十板。其原聘令蘇領回。』蘇曰『大丈夫只患無功名。何患無妻』。笑領而出俞女歸程。未經年。夫患癱症。蘇登甲榜。選浮梁令。時愛陶已罷秩家居。有女自幼許人。其壻不肖。逃亡。愛陶將女另配。已生子矣。原壻回。赴蘇案下控告。蘇判云『珠還合浦。俞程之前案可循。將女重婚。張翁之廿板難恕。念係職員。姑免責罰』。命原壻領女去。後俞家被火燒。程癱子無孫。訟師生結喉餓死。

貪吏巧報（三）

公孫心。宋元祐間充朝請使。使新羅國。國王答奇玉文犀赤珠不世出之寶以附貢於朝。公孫心恚於夷方市其僞者而遞易之。船至洋心狂風鼓浪孫心與船俱碎止存一僕歸述其事。

虐吏巧報

浙省廣濟歲差殷戶充役庫丁以司出納有一家使用官鏹無可爲償府判王某素號殘忍乃拘其妻妾子女於官不足抵完遂以小舟載入西湖令陪客以貲納官解子樞傷之作河邊曲曰「河邊蕩槳誰家婦嬌女含愁羞不語低徊忍淚傍郎船貪得纏頭強歌倚玉壺美酒不須憂魚腹熊蹯棄如土陽臺夢短匆匆去鴛鎖生寒愁日暮安得義士擲千金遂令桑濮歌行露」後府判子孫亦世世爲娼矣。

戕鵲巧報

王愈宅有鵲巢。忿其鳴噪。盡網巢鵲。斷其舌放之。後舌生瘡潰爛而死。又王遵忿鵲喧噪。俟夜深栖定。以竹竿繫炮竹。驚之後遵得疾。驚悸而死。

戕燕巧報

周昂嘗晝寢。戶上有一燕巢。三雛呢喃張口待哺。昂惡其聲。試以指探之。雛亦張口而受。因取蒺藜三枚與之。其雛皆裂胸死。昂後生三子。俱不能言。見人張口啞啞。宛然燕受蒺藜之狀。其聲甚肖。

捕蟬巧報

唐時牛爽家乳母李氏。常抱小兒捕鳴蟬爲戲。得卽殺之。前後不可勝計。股上忽生瘡。潰爛至歲餘不愈。一日苦痒若虫行狀。以手搔之。忽有腐肉數塊。如蟬。自瘡中突出。流血不止而死。

戕蜂巧報

宋朱照平生惡蜂窠每見蜂從竅入雖高處必登梯塞之後生二子穀道皆塞夜夢有人教以秤尾燒紅鑽之如其言二子皆死人皆知塞蜂之報

戕蟻巧報

楊州沓四六好治園圃因植諸花得一蟻穴廣深如甕有蟻無數四六以熱湯灌殺之築土栽花其夏四六露體忽見肌肉間有赤色無數點頃之渾身皆赤泡每泡出蟻不數日而死

戕蟻巧報

彭和尙性惡虫蟻火燒湯潑不可勝計一日病篤虫蟻滿牀周匝其身痛不可忍因遷于別室牀之四周俱用石灰圍繞蟻又自空

飛來卒爲所害臨死七竅皆蟻掃之不去四方聞之傳以爲戒

戕蟋蟀巧報

明末杭州張某好鬭蟋蟀負即斷頭棄之後疽發於背爛黑肉如蟋蟀頭者數百觸之皆動其痛入骨號呼而死

捕鱔巧報

吳興一小民捕鱔爲業後生惡瘡每瘡形如鱔頭徧身纏繞痛苦而絕妻子亦相繼餓死

炙鰍巧報

秀州人陳五炙乾鰍甚美人競買之後陳得疾但跳躑牀上徧身潰爛其妻乃說五烹鰍之法最慘今病狀宛然如鰍死云

燒鵝巧報

杭城有鬻燒鵝者姓馬。人呼爲馬爛頭。後足下患一毒。爛入骨。口內時作鵝聲。兩手入沸湯始快。皮膚剝落。儼如鵝掌。數月卒。

殺雞巧報（一）

蕪湖縣金九思於石橋巷開酒店。累資數千。而所殺雞鴨。不可勝計。人勸改業。勿聽。其子年二十餘。患肝疾。頭不能仰。痛楚呼號。近二年矣。忽一日。見無數雞鴨索命。嘔血如注。腎囊腫破。手足搖搖。如鷄鴨被殺狀。死時遍身紅痕。皆雞爪跡。旋遭回祿。家產蕩然。一門盡死於疫。

殺雞巧報（二）

松江婁門外張塔橋張某。以宰雞鴨爲業。一生積置房屋數間。田二三十畝。康熙二十一年三月十八日。雷雨大作。忽滿室烟火將

宰牲器具並匣中田房戶契盡行震碎張驚呆不食越數日作雞鴨叫而死

烹螺巧報

杭州某醫買螺令僮放生僮私食之數日後遍身生瘡與螺眼無異百方不效

炙鰻巧報

錢塘呂五市炙鰻每鰻置滿斛中投鹽醋飲之令味入骨始加刃不數年忽胸腹燥渴但思鹽醋伏枕上時時呷之胸爛腸潰而死

煠蝦巧報

建炎中謝亮奉使夏國晚泊漢口見岸上蟻子千百成羣相爭入水視之皆化爲蝦如是纍纍不絕迹所從來乃自小冢間出詢之

居者云。向一翁居此幾三十年。以煠蝦爲業。死數日矣。此其葬處也。始知蟻是其尸體所變。復化蝦形。以報云

捕蛙巧報（一）

徐僧保自幼釣蛙爲生。先折其足。次截其首。其頭落地。皆輾轉齧草。其身亦跳躍數次方死。徐年至二十六。忽生落頭疽。痛極口齧敗絮。跳擲於床而死。及入棺頭已落下。宛如截蛙狀。

捕蛙巧報（二）

宋周三蛙。南城農夫。當農隙時。專以捕蛙爲事。後得疾。初覺腹中一物。飲食不能入口。漸覺隱隱若數蛙動于內。久之展轉一榻上跳擲。蹳頓號呼。哀鳴。與蛙受苦時無異。歲餘乃死。

捕蛙巧報（三）

漢陽大別山下。有數家捕賣田鷄爲業。剝割悽慘。人勸改業。勿從。始猶撐持度日。後漸日食不繼。其人多得水蠱症。癱腫狼狽。求生不得。求死不得。年餘乃死。

屠牛巧報（一）

大和年間。光祿廚欲宰一牛。牛淚下如雨。屈膝向屠跪。屠竟殺之。屠者忽狂走。每日作牛吼。食草少許。以頭觸物。月餘而死。

屠牛巧報（二）

滁州來安教子殺牛。視其用刀法。一日安寢。子以爲牛。持刀殺安。衆駭問子。子曰：「我見是牛。試刀法耳。」

屠牛巧報（三）

杭州張屠善宰牛。號「小庖丁。」與友往雲台山進香。比至山下。

忽覺心驚股栗。不能行。遂坐橋上。久之。同行者見張據地作牛鳴。野中羣牛數十。聚而觸之。急共掖進飯店。仆地死。

屠牛巧報（四）

常熟縣陸中青好殺牛。一日縶一牛。將下刀。牛用力斷繩。以角觸陸腹。立死。

屠牛巧報（五）

秀州盛肇夫婦宰牛。一夕有童子叩門。送一青簡云：「六畜皆前孽。惟牛最苦辛。君看橫死者。盡是食牛人。」肇頗通文墨。讀之仍不改。後夢至陰司。見冥王怒責之。以長釘釘其頭。醒而痛極。遂生頭疽以死。其妻擬賣牛易棺。至牛欄中。爲牛所觸。亦死。

屠牛巧報（六）

建州甌寧縣婦人湯七娘。好殺牛。一日買牛騎之歸。忽兩腿與牛背合爲一。體不能脫。人鞭牛。婦體亦痛。其家牽入市中。與人觀看。冀以滅罪。經數日竟死。

殺牛巧報（七）

阮倪當陽縣人。好食牛舌。有人言食牛有果報。倪輒怒罵之。後生二子。皆無舌。倪舌上亦生惡瘡。潰爛而死。

宰羊巧報（一）

京師一羊屠。好買母羊宰殺。取羔貨賣。期多得利。一日午間。忽大喊叫。跌仆於地。謂「有羣羊來觸」。家人急救扶起。遂病。至數日。遍身流血。其破處。如羊角觸狀。痛不可忍。遂潰爛而死。

宰羊巧報（二）

唐顯慶中長安某氏誕兒彌月大宴親朋欲殺一羊羊屢向屠人拜不顧竟殺之有頃烹羊於釜產婦抱子而觀釜忽自破沸湯衝入猛火直射母子頭面頃刻俱斃

捕鳥巧報（一）

錢塘翁祿每盛夏林木茂盛時挾弓矢彈射飛鳥作羹爲食後中風不語咿咿作鳥聲右臂拳曲顫掉如鳥折翅狀二年而死

捕鳥巧報（二）

鄱陽染工董某好羅禽鳥竹貫其頭燎於茅薪上去毛貨之所殺無算後得疾徧體皮皺如樹奇癢難耐但取乾茅燎之又患頭痛輒令人以竹片擊腦如是三年而死

捕鳥巧報（三）

明末武進顧謀。捕鳥無數。臥病。自言曰：「今日有鳥啄我手。」復曰：「今日有鳥啄我足。」一日易一鳥徧身啄碎。病四十九日。曰：「今日有鳥啄我目。」遂死。家人視之。果無睛子。

捕鳥巧報（四）

崑山龔福善用鳥銃。順治壬寅夏。以火照銃藥。燈煤爆入藥中。火大熾。鬚眉盡脫。鐵珠自胸入腹。奇慘而死。

捕鳥巧報（五）

石門南前村民。俱習鳥鎗以射鳥爲生。凡用兵需鳥鎗手。即徵調充伍。有錢漢冲之子。技最精。百發百中。生平殺鳥不啻數萬。家亦稍溫。未幾死。號呼痛楚。如中矢石。以手遍捫。輒云：「此處有鐵子。痛不可言。」以針挑之。少減。如此挑撥。數日。身無完膚而死。

殘忍巧報

張易之爲控鶴監。弟昌宗爲祕書監。昌儀爲洛陽令。易之爲鐵籠。置鵝鴨於中。起炭火。銅盆貯五味汁。鵝鴨遶火走。渴卽飲汁。火炙熟。毛落血赤乃死。昌宗活欄羊於室中。起炭火而置汁如前。昌儀取鐵橛。釘入地。縛狗足於上。放鷹鸛活喙其肉。肉盡狗猶未死。號呌不已。後易之昌宗被百姓臠其肉。肥白如猪肪。羊胎煎炙而食之。昌儀被人打折。雙足抉取心肝。

屠豬巧報

青浦翁某業屠。老來兩手僵直。難伸屈。如綑綁猪足狀。晝夜號痛。呌人以針刺之。痛少減。如是三年乃死。其子復習父業。一日無故火發。四鄰無恙。獨翁家爇成灰燼。此康熙二十一年三月十七日事也。

屠豬巧報（二）

唐時州方湖。每歲暮執刀為人屠宰。積數十年矣。後入京師。醉行長安街。正踉蹌道中。大車猝至。碾開胸腹。肺腸盡出。宛如破豬狀。

屠豬巧報（三）

蘇州楓橋顏復初。以販豬致富。所宰豬。不令氣絕。以鹽水灌入豬心。以木槌徧體槌之。康熙七年得病。令僕以木槌槌之。又索鹽水飲之。方快。二日後不能飲。令家人灌入口中。宛轉如豬聲而死。

屠豬巧報（四）

陸寶角直南柵頭人。貧無他業。為人鼓刀。凡角直各店豬羊。死于陸寶之手者。不知其幾。康熙十二年夏。忽持刀自刺喉間。旋轉其刀。宛如殺猪之狀。其家大駭。若有神附。止之不能。號呼三日。血盡乃死。臨終曰：「取鹽水來。今有無數猪羊在此索命。」觀者如市。

屠豬巧報（五）

浙江邵某業屠沽。豢豬數頭。視肥瘠而宰之。忽一豬長跪泣下。邵略不悲憫。反加瞋怒而殺之。是日天微雨。置肉几案。至晚無一買者。邵怒怒著屐立橙。取肉掛於梁之鐵鉤上。不意用力過猛。腳滑橙倒。肉反墮地。而鉤穿掌心。虛懸脫離。家人急救。已痛極悶絕矣。時方釀酒。號痛時。輒取酒與糟噉之。淋漓污濁。宛然一豬。叫臥二十餘日而死。

屠狗巧報（一）

蜀民李貞家養狗名黑兒。因醉持斧擊殺之。貞後與鄰人白昌祚爭競。昌祚亦以斧擊貞。死焉。時昌祚年十九。與殺狗年正同。昌祚小字黑狗宛報顯然。

屠狗巧報（二）

餘杭縣朱某屠狗爲業。後爲火所燎。急投溪中浸之。皮捲。肉露。宛似。新。剝。之。狗痛楚狂走。遶市城呼叫。一匝而死。若示衆者然。其妻媳俱死於瓦礫中。髓腦血肉。炙焞有聲。一家皆燼。

屠狗巧報（三）

靈隱晦大師曰：「余州中門人錢登九。僕名陳祥。日入內充役。暗地屠狗。余朝夕苦口切勸。卒不改業。一日食新河豚。毒發痛悶欲。死。醫。人。勸食糞漿可救。陳祥蛇行至廁邊。大啖糞。卒不治。作狗聲。哀。叫。而。死。」

屠狗巧報（四）

瀆村張景文言：其同里一人好食犬。買殺甚多。其家五口。三年死絕。本身後死。停棺於草屋。失火焚燒。忽來犬數十。圍遶狂吠。人皆驚懼。不敢前救。火熄之後。其骨盡被羣犬啣去。此康熙三十年事也。

殺蛇巧報

金秀才淮人也。冬月掘地。偶殺一蟄蛇。蛇死時。怒目視之。越旬日。金手肱間忽生癰疽。有赤蛇一條。從瘡口出。金知爲殺蛇之報。乃向天地悔過。永戒殺生。久之方安。

烹鼈巧報

蘇城報恩寺某僧。喜食鼈。烹炰甚慘。將鼈活放鍋內。鍋蓋上鑽小洞。以火煨之。鍋熱。鼈出洞中伸出頭頸。即飲以五味酒汁而烹食之。一日。僧在樓上晝寢。忽樓下火起。無處逃遁。伸頭小月牕內。洞小。身不得出。身陷牕內。頭懸牕外。活活燒死。觀者如堵。報應之奇巧如是。

烹鼈巧報（二）

杭州鳳仙橋一人以炮鼈爲業。清晨買鼈。不拘多寡。生投沸湯中。慘死之狀。見者無不惻然。既熟。剖腸剔骨。煎熬五味。香及數家。由此獲利有年。後忽染傷寒。初日縮頸攢手足伏于床上。數日。伸首爬娑宛如鼈形。又一日。爬于房內。漸出堂中。家人禁之。輒欲嚙人。將死。爬至街市。盤旋宛轉。曲盡鼈態。來往觀者。皆知沸湯炮鼈之報也。七日。身體臭爛而死。

烹鼈巧報（三）

有富民好食鼈。每殺。俟其首出。以竹夾頸殺之。有子數歲。極聰慧。一日在園中探首羅𬃼。爲竹夾頸而死。

烹鼈巧報（四）

明末杭州有潘德齋者。老而乏嗣。偶見一書云：「食鼈者有子。」乃買而畜之。且飼以小鱔。烹割無虛日。如是年餘。徧體皆生𤺥毒。毒有數口。宛如甲魚之嘴。其痛入骨。未幾死。竟無後。

傷虫巧報

明末無錫薛某喜畜金魚。每取紅蟲飼之。所殺不可勝計。後得奇疾。舒手於身。握而擲之曰：「有千萬紅蟲在吾身上」。痛楚難忍。徧體搔爛而死。

巧革功名（一）

餘杭邵孝廉某族有孀婦。富於貲。共欲嫁之而分其財。謀於孝廉。誣以短行。孝廉告縣令。拘孀婦至。限期改嫁。孀婦自縊。丁未場前孝廉夢告曰：「汝破我之名。傷我之命。吾怨不淺。但汝中進士。爲我建坊旌表。吾恨亦釋矣。」因以七題告之。孝廉不信。入場果合。悔恨而出。復夢婦曰：「頭場文字。恐未必中。今探表題來。刻意作好表。猶可中也。」孝廉集成好表。讀十回。終不能記。遂置筆管內。因被搜出。革去舉人。

巧革功名（二）

清順治丙申年。浙江舉人鄭某。有友人窺某妻色美。欲計得之。鄭爲畫策。飛語入某之耳。謂其妻有所私也。某因是欲出妻。商於鄭。

鄭卽作離婚書。既脫稿。某手錄去。適賣筆者至。買毫筆幾管。任手以脫稿塞管中。越二年戊戌會試。攜筆進場。忘其脫稿之在內也。搜者得之。以功令枷責革去舉人。

寃孽巧報（一）

訪縣一商無子。娶妾。歲餘生男。喜甚。名曰繼祖。復商於外。囑妻善視之。妻佯諾。夫既出。卽令妾置兒於地。每擲飯於地。教兒以口就食。更名狗兒。呼之輒應。妾或抱兒。妻怒。必擲地。乃已。三歲。猶爬沙地上啖食。如犬。夫歸。妻僞顰蹙曰：「家門不幸。生子類狗。」商驗之。果然。遂怒蹴兒死。妾畏妻不敢言。痛其子。亦自縊。未幾。妻忽瘋顚。伏地。飲食。如其子。夫泣曰：「吾子如此。吾妻又如此。天之罰我何慘也。」鄰人爲言其故。始知果報。言訖。婦乃絕。

冤孽巧報（二）

吳民有商於楚者。利其同伴之貲。殺而埋之於野。旁有石虎。推仆其上。謂虎曰：「爾知我知。勿語人。」虎忽應曰：「我不語。恐爾自語。」商驚駭而去。後二十餘年。與一少年甚暱。復商於楚。共憩前石虎旁。告少年曰：「此虎能作人語。」少年詢其故。民不覺傾吐。少年口應而心動。漸與乖隔。至相毆。訴之官。發石驗視。抵服。計少年之生。即同伴死之日也。

冤孽巧報（三）

昔夔人慕孀婦金。紿娶之。其妻素悍。佯與之厚。密以藥酒酖殺之。越十七年。其人復娶一妾。妻妬如故。妾亦以藥酒酖妻。夫不察。亦飲之。遂俱死。妾與婢焚其屍。挈千金而去。有道人曰：「妾即孀婦。

後。生。也。年。正。十。七。」一殺機一動。則寃寃相殺無已。如妾一殺而夔人滅門。姤妻之爲禍誠烈哉。彼紿娶嫞婦。夔人無良。故亦不免於殺。

寃孽巧報（四）

清順治年間。嘉興錢某館於孫氏。其家有女。年十七。値清明拜掃。舉家皆往。留此女守屋。錢私通焉。女有孕。父母詰之。女以實告。其父母以錢尚未娶。欲贅之以掩醜。因告知此意。錢作色曰：「汝女不才。何得汚我。」不認其事。女父大怒。返責其女。因自縊死。次年錢赴考中式。夢此女抱子立於前。會試亦然。後選官。得江甯司理。値鎭江之亂。從逆諸人。俱發。錢勘問。因貪贓論絞。命下之日。又夢此女以紅巾套其項。次日正法。或曰：「如此無義之徒。赴考何以中？」曰：「削去前程。其報尚輕。必如此絞殺之。方足以抵其自縊之命。此天道之巧也。」

冤孽巧報（五）

明凌漢章行市中。見一丐者。貌奇偉。頰上一掌痕。乃天生也。凌怪之。詢於土人。曰：「此丐姓聶。父常為司務官。因早朝從行吏失攜笏。怒甚。掌打其面。遂仆地死。後家居。妻有娠。忽見前吏來。徑造其寢。已而生子。掌痕宛然在面。司務心知之。比長。日以殺父為事。父嚴防之。挈妻逃避。其子遂縱酒色。家業蕩盡。卒為丐。」漢章作詩記之曰：「平生不信有陰魂。丐面而今見掌痕。寄與世間君子道。莫教結怨種冤根。」

冤孽巧報（六）

豪州葉給諫馳驛先行。奴自後至。嗔驛丞慢已。相詬。遂以鐵鐶毆丞死。給諫知之。杖奴百。越歲。家居與客對奕。堂上見丞自外入。已而生子。長秀穎非常。獨好撻奴。給諫心知之。使奴遠遁。子見鐵鐶。每日佩之。知者言其無用。答曰：「但覺其快耳」。一日。遇奴。以鐵環斃之。遂竟棄鐶。不復佩。

冤孽巧報（七）

江南米信夫刁訟詐財。本鄉有兄弟爭產。米乃唆弟訟兄。復囑官吏嚴拷。米又於中調停。恐嚇。破其家而有之。兄弟皆鬱抑死。越二十年。米遭反叛。牽連拘拿到縣。見縣令。儼如其弟。重刑勒招。米罄貲免焉。憤而訟之於府。見府尹。儼如其兄。亦重刑酷拷。家業破盡。一家八口。皆死於獄。

冤孽巧報（八）

汴鄆卒單騎巡警。出都門。甚蚤。至棘野中。有蚤行賫貲者。見卒來。疑有他志。匿棘叢中。卒亦暗不辨也。但聞途左有行步聲。近身不見。恐是虎豹。因以鎗遍刺叢中。中之。拽而出。則死矣。方知其誤。遂取其囊金。棄尸於棘。人莫知也。卒由是富。娶妻久無子。止育一女。晨坐於門。見所刺之人前來。亟闔戶。潛窺之。竟入對門皮匠家。翌晨問之。則匠昨夜生子矣。卒既知其因緣。了不敢言。第厚遇匠。并憐其子。許以女妻之。匠大喜過望。令其子事卒如父。一日盛暑。卒飲酒醉。臥汗湧出。適匠子侍側。以微刀刮其汗。卒醉中不辨何物。以手擊之。刀遂入腹。將絕。亟呼家人。言其故。女卒歸之。并家私盡授焉。

冤孽巧報（九）

鄧榮性狡猾。里有宦家子。素不肖。榮與之遊。凡狎妓樗蒱之事。無所不爲。騙其貲產殆盡。榮幫閒取利。竟成富室。宦家子丐而死。後榮爲鹽賈。遊歷江湖二十年。一日湖中遇寇。其貌儼如宦家子。持刀入舟。縛其父子。淫其子媳。盡掠其貲以去。遂貧困而死。子亦丐焉。

冤孽巧報（十）

許氏婦紹興人也。夫死。有三子。長在蕭山燭店學徒。次與三子尚幼在鄉。傭作度日。許則至杭。投一宦家作傭。工作勤。處事謹。頗得主人心。年久。信用彌篤。一夕鄰失火。勢已延及。倉猝間以一貴重飾奩付許。以其誠篤可託也。詎許見財起意。乘主人尚在收集物件。反鎖其門。更於梯下縱火。隻身自後戶遁。主人一家八口。盡葬火窟。許驟得橫財。伺恐見疑於鄰里。因長子在蕭山獨店已成業。遂在蕭山設一燭肆。並召其次三兩子通力合作。為許氏母子四人自設肆以後。營業日趨發達。於是兄弟三人均各娶成室。未幾長媳產一男。許氏得抱孫矣。是時一家人數。適成八口。夏間店中學徒。因執燈不慎失火。鄰里聞警。羣趨赴救。及門。而店中不見一人。大聲呼喚。忽樓窗開處。許俯身謂衆曰：『君等來救火耶。此火不可救也。』言時指天劃地。自述其昔年隱事。時火愈大。衆在下狂呼。告其速下。有相識者呼其名而叫之。凡喚及彼兄弟三人中之某者。則某必應聲而出。俯于窗口。但向下點頭微笑。若無事然。中有駕梯欲乘而上救之者。許氏婦揮手大呼曰：『來不得來不

得』忽黑焰騰捲肆毀于火許一家八口無一免者彼嘗焚斃人一家八口今已亦一家焚斃八口以償之嗚呼報施之巧有如是哉可以驚矣

冤孽巧報（十一）

齊陸超之爲晉安王子懋所知子懋既敗于琳之勸超之逃亡答曰『人皆有死此不足懼吾若逃亡非惟孤晉安之眷亦恐田橫客笑人』中護軍王玄邈等以其尚義欲因之還都而超之端坐待命超之門生姓周者謂殺超之當得賞乃伺其坐殺之頭墜而身不仆玄邈嘉其節厚其殯殮周助舉棺棺墜壓周首頸折而死夫周賊貪功邀賞竟至手刃其師豈復有人理耶頸壓而死猶未盡其辜之萬一

寃債巧報（一）

永嘉徐輝家貧業賈貸丹陽一大駔錢千貫。嘗語家人曰：「使駔死不索債則我成一小富翁矣。」未幾駔果死。其家不知。輝亦不言也。後輝生一子。甚聰俊。極愛之。八歲患病。召醫市藥。家貲費盡。而病不減。一日有老尼至。其子謂曰：「我欲歸去。」尼曰：「此汝家也。父母愛汝如此。汝復何歸？」曰：「我丹陽人也。徐某曩貸我錢千貫。幸我死不償。特自來取耳。」言訖而絕。

寃債巧報（二）

富翁張某老而無子。園池廣衍。盛某與翁狎。嘗問其地所從得。翁輒道其詳。盛潛造翁賣券。擇一已故者作中。藏久之。翁無恙。乃謂曰：「翁地不歸我何待。」翁以為戲。盛作色出券示翁。翁愕然無辨。遂與之憤恨而死。盛初無子。既以計得地又生一子。意願益滿。兒五歲尚不語。一日盛攜入園遊。謂曰：「吾老矣目前生業皆汝有。汝不言吾不樂也」兒忽應聲曰：「園。本。我。故。業。我。即。張。翁。也。將。有。待。而。言。耳。」盛驚悸。一仆。而卒。未幾子亦殂產業皆為仇家奪去。好奪者鑒此。

冤債巧報（三）

鄞縣朱瑄明宏治時以中丞督漕運。有微疾。臥驛亭。問侍吏曰：「若等有異聞乎？」吏曰：「里中有陸氏者。奸而橫侵其鄰鄭氏。盡其產撤其居。以闢宮室苑囿。所存惟嘉樹一株。後陸氏生一子。數歲。喑啞不語。一日。忽仰天嘆曰：「樹乎。汝今。猶在。耶。」家人大驚。已而復啞。稍長荒淫賭蕩。家罄乃死。

冤債巧償（四）

中州金相攜貲往金陵市絹。舟人窺貲。殺相投於江。乃賣舟買屋住岸上。遂成富室。後生一子。甚鍾愛。稍長。即謀殺其父。至年二十。殺機益急。父不解故。求神降乩。詩曰：「八月西風何太惡。揚子江心波浪作。二十年前。即此人。請君自把心頭摸。」舟人心知其故。乃以家貲盡付其子。而自行丐。他所絲毫不敢隱藏。親友若憐而賙之。亦必反生災病。終以乞丐死於途。

冤債巧償（五）

桐鄉有甲乙二人。素相仇訟。彼此訐告不已。一日赴審。甲與皂隸商曰：「今日乙必打。汝能一板打死。我酬汝銀四兩。」隸許之。及行杖。隸以一板。擊乙陰囊而斃。逾年。隸生一子。滿月後。陰囊後生一毒。日夜號哭。服藥醫禱。無所不至。將及一年。家貲俱費。食不充口。身無全衣。隸抱子而嘆曰：『冤家。汝受苦。至此我亦家業累盡。亦可以饒我矣。』子忽應之曰：『汝得我銀四兩。一板殺乙。今陰司罰我爲汝子。受乙痛苦一年而死。乙豈肯饒汝乎？』言訖。大呼陰囊迸裂而死。隸驚倒。至晚。亦死。家中訪甲。已於一年前死矣。

冤債巧償（六）

東台場富人曹某。少以賭博爲業。貧無立錐。一日宿旅店。與徽商家學徒某一同寢處。某枕白金一囊。曹知其爲買鹽貲也。乘某熟睡。以布裹其枕而去。某覺不敢歸見主人。自縊死。曹取囊得三百金。出母錢射煑海之利。驟至巨富。嬌妻美妾。恣意自娛。未幾曹妻將產。忽見學徒踉蹌入戶。跡之不見。則其妻已生一子矣。曹得兒後。百方愛惜。子又娶年多病。所費無算。及長不肖。撈蒲一擲。動輒百千。他用類是。財皆耗盡。又淫烝著醜。竟爲債家逼經死。計其年與學徒齒相若。曹遂貧。絕

冤家巧遇（一）

錢南園先生灃。伉直有聲。以御史爲軍機章京。時和珅長軍機。屢齮齕之。弗屈也。錢劾山東巡撫國泰賄賂通行。穢名彰著。上命和珅馳往查辦。和與國素相比。欲化其事爲子虛。奏請與錢偕行。時至冬令。沿途送溫裘。送珍食。凡可以結錢之歡者。備極殷勤。錢弗爲動。比至濟南。以衆證確鑿。不能不據實奏覆。和益銜之。錢旋出爲湖南鹽司。和蜜囑本省大吏。媒孽其短。久之不得間。最後浦霖爲巡撫。亦與錢齟齬。乃以鹽務陋規附會成獄。褫錢職。卒於京。啓

殯南旋。路過柴市。正值霖押赴伏法之時。靈柩與囚車相摩擊而過。竟若預刻其時而巧使先生親見之者。錢之交好。爲筆其事於書云。

寃家巧遇（二）

岑羲蕭至忠同在政府。滑州別駕袁嘉祥謁事。自陳廉循稱職。岑蕭。略不介意：且叱之去。嘉祥慚而退。憩於道旁樹下。有黃冠二人來。大笑不止。嘉祥訝問之。黃冠曰：「非笑公笑二相耳。旬日間。並家破。公當斷其罪也。」袁大驚。叩其故。忽不見。己而果勅除刑部郎中。岑蕭坐逆謀。嘉祥讞其獄。

兩小巧遇

明僖宗時。有兩朝士。一姓陳。一姓魏。文章皆擅聲譽。相結爲生死交。誓不相負。時魏閹弄權。雖荼毒縉紳。性頗愛才。聞二人名。使人示意招致。二人約曰：「功名小事。名節爲重。切不可往。」陳忽自念：「忠賢勢焰如天。滿朝求其一盼。且不可得。今親近於我。絕之必有奇禍。不若背魏往謁。庶得其歡心也。」次日。卽修剌親造忠賢門求見。及入。而魏已先在座矣。兩人相見。面俱發赤。魏謂陳曰：「昨日相約。故先來奉候。」陳答曰：「非兄相約弟來久矣。」忠賢笑曰：「此時尙未遲也。」指魏謂陳曰：「此子與予同宗。適認予爲祖。謙居孫列。予不喜得佳孫。而喜得交兩名士也。」遂命治酒相待。出持衡圖。令二人題咏。二人詩中。極寓稱讚之意。忠賢大悅。自是皆蒙寵用。而魏係義孫。尤見親愛。相待旣有親疏。二人遂成吳越。口中雖照舊相好。心內各懷猜忌。後忠賢事敗。伏誅。二人參訐不留餘力。懷宗初亦信之。及抄忠賢家。得持衡圖詩中有「天命屬元勳之句」帝怒。召二人責之曰：「爾係忠賢之黨。今見忠賢勢敗。反戈相向。眞口是心非之小人。而詩中作不道語。尤爲大逆」一付法司立正典刑。

兩小巧死

明萬歷間孝感人劉尙賢張明時相友善。誓同生死。偶同行。見地有光。掘之則銀根如筍。相約祭禱然後取。及禱畢共飲。劉置毒盞中令張飲矣。張藏斧腰際。乘劉醉而斫之。劉死。張少頃亦死。二家妻子知其故。掘地終無所得。蓋天所以試奸人僞交之心理也。

冒充巧破

昔南方有一士。姓呂名鍾。才貌兼全。望之如神仙中人。但賦性放蕩。所癖者子都宋朝。所不留意者。王嬙西子。雖有豔妻潘氏。呂覼之淡如也。登甲後。選湖廣孝感縣。偕妻赴任。至蘇州見優人賈文與己面貌印板無二。呂大喜。邀之同行。日則共食。夜則共寢。餘桃斷袖。莫能踰也。妻見賈事事可人。亦有意。屬之。一日舟次漢江。呂酒後不謹。感染傷寒。暴卒。妻與僕計曰：官人中道身亡。我等進退兩難。我見賈某面貌相同。若冒充到任。決無人認得。且官人既無叔伯。終鮮兄弟。平日朋友親戚。人人冷落。必無遠來查問者。僕以語賈。賈允從。是晚妻召賈議事。遂成伉儷。到任後。幸孝感小邑。俗風朴醇。詞訟有限。苟且敷衍。不致張露。時逢舉劾之期。賈竟忘已爲。假冒百計。謀陞藩司。與呂同年。調任省中。面聚舊好。賈茫然無應。及考其詩文。不能答一字。藩司怒曰：「吾與爾長安同寓。花前覓句。月下聯吟。久所服膺。今成木偶。定係光棍假冒」乃帶至密處。呼夾棍嚴訊。得實。以其冒官欺君。姦佔命婦。奏請律斬。潘氏係受封之婦。忘夫事仇。與尋常和姦不同。與僕衆俱繯頸。

撞騙巧破

唐李播以郎中典蘄州。有李生稱舉子來謁。値播有寒疾。令子弟見之。覽所投詩卷。卽播應舉時作也。生既退。呈於播。播亦驚訝。明日。遣其子邀生至。從容詰之。生曰：「是某平生苦心所搆。非謬也」子曰：「此家大人舊製。秀才。勿妄言」生色變曰：「某誠誑耳實於京輦書肆中。以百錢易得。不知爲尊公筆也」子聞於播。播笑曰：「無能之輩。情實可哀」乃引見。留食。書齋數日。遣之。縑緗。生拜謝訖。又云：「某執郎中佳卷。挾之江淮已二十載。敢希見惠。

以光旅色。可乎？」播曰：「某昔爲舉子時作此。巳失之旅館。今爲老郡牧。無所用之。奉贈何妨。」生即欣然納袖中。播曰：「秀才今何之？」生曰：「將往江陵投岳丈盧尚書。」播曰：「令岳今任何官？」曰：「現爲荆南節度使。」播曰：「何名？」曰：「弘宣。」播鼓掌大笑曰：「秀才又錯也。盧尚書是我岳丈。」生慚愧失次。跼蹐載拜而去。播歎曰：「天下有如此人。當場敗露。能不羞死。即此便是欺心獲報也。」

竊賊巧破

有華姓者挾三百金。將買貨淮海間。舟過丹陽。見岸上負重囊一客。呼搭船甚急。華憐之。令停船相待。舵工搖手曰：「此地匪人最多。免累爲幸。」華固欲相待。舵工不得已。迎客宿於後艙。將抵丹徒客負囊出曰：「余爲訪戚來。今已近戚家。可以行矣。」謝華去。頃之。華開箱取衣。前箱中三百金。盡變瓦石。知爲客偷換。懊恨無已。俄而天雨且寒。風又逆。舟不得進。華私念金已被竊。無買貨貲。不如歸家摒擋。再作計。乃呼篙工返櫂。許其直仍如到淮之數。舟人從之。順風張帆而歸。過奔牛鎭。又見有人冒雨負行李淋漓立。招呼搭船。舵工睨之。卽竊銀客也。急伏艙內。而令水手迎之。其人本不料此船仍回。天晚。雨甚急。不及待。持行李先付水手。身躍入艙。見華在焉。大駭。狂奔登岸。失足落水。衆以篙乘之。遂沉。華發其行囊。原銀三百。宛然尙存。外有珍珠百十粒。價可數千金。而華從此富矣。

竊賊巧報

趙一嘉興人好賭至貧無以爲生慣偷佛臟一日腹痛至田中暴瀉脫肛忽有一犬過其後見肛門垂於外卽以口咬之而走大腸盡出立刻死

阻善巧報

淮安李某家財厚富門臨大溪往來病涉衆倡議造石橋募李捐助李爲礙風水不許衆畏其勢遂止後數月其子方八歲以涉溪被溺而死

幽人巧報

五代唐主徐知誥以宋齊邱爲謀主幽禁吳王後齊丘爲人所譖唐主乃命鎖齊丘于第穴牆給飲食齊丘歎曰『吾昔獻謀幽吳王于泰州宜其及此』乃縊而死

負恩巧報

北魏李訢爲相州刺史。受納民財。兵民告言。尙書李敷袒之。或勸敷以奏聞。敷不許。而訢反告敷隱罪。敷坐免。李訢平日信用范檦。腹心之事。皆以告檦。檦知太后忿訢。希旨告訢叛。徵至。訢曰：「無之」引檦證訢。訢曰：「爾不顧余之厚德。而忍爲此。不仁甚矣」檦曰：「公德于我。何若李敷之德于公。公昔忍于敷。檦今敢不忍于公乎。」遂伏誅。

叛逆巧報

六朝時宋主下詔禪位於齊。而不肯臨軒。王敬前勒兵入迎宋主。宋主收淚曰：「欲殺我乎？」敬前曰：「出居別宮耳。君先取司馬氏。亦如是。」宋主泣下。彈指曰：「願後身世世勿生天王家。」宮中皆哭。

狂妄巧報

蔡羽居洞庭西山。縛藁以爲先儒。腰膝皆可曲折。每讀傳註。遇不合意處。輒詬曰：『某謬甚。』叱童子牽來。跽而杖之。未幾。得奇疾死。遍體。皆。杖。痕。

錢數巧合

昔有一縣令王某赴任。夜宿郵亭。二鼓時。有緋衣人至前曰：『我守藏神也。爲君守財。待君久矣。今當取去。』令曰：『幾何？』曰：『萬金。』令曰：『路遠攜帶不便。回來取罷。』及上任。貪贓剝民。又得萬金。自恃藏金足用。遂浪費殆盡。任滿歸。仍宿郵亭。緋衣人復至。謂曰：『君金已取盡。我辭去矣。』令曰：『未也。』神曰：『某日

受某若干某日勒詐某若干總在此數』令大驚自思宦貲已盡藏財又空前途何以自給憂憤成疾而死

巧折驕氣

昔有兩新舉赴公車意氣揚揚旁若無人途次旅店偶閒步遇一長者孝服而來揖而問其行止兩舉曰『村老何知吾輩乃新科會試者』老者曰『然則孝廉公也』兩舉曰『此老亦知書竟識孝廉二字』老者曰『如蒙不棄至小莊茶話』遂同至莊設酒款之兩舉遽上座肆言不忌老者端坐不動聲色頃之一人孝服至客前長揖老者告曰『大小兒也』兩舉見氣宇不凡向老者曰『令郎必讀書進學乎』老者曰『叨登兩榜現任布政』兩舉踧踖不自安欲辭去老者固止之少頃又有孝服三人至見

客揖之。老者曰：「此二三四小兒也。」兩舉曰：「有令兒與老先生，諸兄功名不難矣。」老者曰：「也到不消，俱已叨登甲榜。二小兒現爲御史。三小兒現作知府。四小兒新中未選也。」兩舉鞠躬重揖老者曰：「晚生不識老封翁，放肆唐突。」老者曰：「小兒也未能封得，老夫叨爲某部侍郎。」兩舉羞慚汗浹，載拜而別。詢之旅店，知老者爲白公中復，因歸葬其夫人，故孝服在村莊也。時已一門五進士矣。

巧受杖責

李孝壽知開封府。有秀才爲僕所凌，忿甚，作狀欲送府，爲同社所勸解而止。乃自取狀學孝壽判曰：「決杖三十。」僕怨之，竊狀走府曰：「秀才自學府判狀，私決人。」壽卽令追之。既至，具陳所以。

壽謂僕曰：『汝違逆主命如此，秀才所判正與我同。』命吏如數決之。

循環巧報

錦衣千戶仲某早亡，遺妻吳氏，子珍哥，產業頗豐。時流寇將到，民俱逃散。氏與僕王安、戚甯議至城外暫住，有黃金千兩，命二僕各帶五百。路中甯向安云：『世界荒亂，隨此孤寡有何好處？我二人所帶頗可過活，何不舍之而去。』安正色相拒，甯以戲語解之。莊鄰有獵戶張升，子張一，兇悍異常，素與甯厚，共約行刦。是夜父子各執兵刃，劈門而進。甯大呼有賊，氏驚慌擕子出後門逃避。甯抛磚擲破珍哥首，將千金及衣飾席捲而去。次日甯即辭氏，帶妻往張宅同住，議各帶三百金至臨清販布，存四百金在張處，另分擇日動身。至東昌府曠野。過松林。張欲暫歇。坐未片刻。甯忽見張一執棒而來。未及開口。棒已劈下。頭顱碎矣。張升復拔佩刀刺去。登時氣絕。父子取其金。行未數里。遇人馬蜂擁而來。乃賊也。父子跪路旁。賊首喝搜其身。各得三百金。問從何處得來。答曰「乃按院謀陞者。」賊首攜而去。父子依然空手。自嘆命窮。又轉念曰:「家中尚有四百金。與一切細軟。猶不失爲小富翁。」回家哄甯妻曰:「汝夫帶金。先赴臨淸。我回家料理數日。隨後趕去。」妻大疑。夜間聞張屋有人砍地聲。穴隙窺之。見張父子方掘土埋金。張妻曰:「此內尚有甯戚二百兩。何故並埋。」張笑曰:「渠被殺登鬼錄矣。」甯妻至天明。赴縣首告。縣令裘明起獲贓物。封存內衙。張之所埋。裘盡有之。猶貪心不足。思孤兒寡婦可以勢相淩逼。遂以諱盜不報。拘吳氏珍哥王安到案。一桚一夾。珍哥年幼。難以加刑。責手心百十。着人關說。須千金方釋。氏折獻五百兩。始招保。時兵荒之後。著大戶助餉。上司聞有此案。檄取黃金入官。查對齊妻首狀尚少金六百兩。復考原盜。張父子自知必死。因屢受裘重刑。一口咬定。千金俱裘得去。裘有口難分。斃獄中。張父子駢斬於市。

移禍巧報

明朝旗丁運糧。最是苦差。一值簽及。雖素封之家。立見破敗。故視粮艘爲畏途。有蘇州鄭心如。籍隸旗伍。一日至松江販布。在行中閒坐。見一童子。年可十三四。衣履齊楚。向行主索錢。去後。心如問曰：「此子爲誰？」行主答曰：「此鄰人鄭寡婦之子。家道雖豐。上無伯叔。下鮮兄弟。此房係伊之產。日日來索租錢。」心如籌畫半晌。忽然得計。次日預備精緻菓品。候其子至。與之食而謂之曰：「吾祖貫原是雲間。與君係一家。」取蘇綾二疋。使歸奉其母。次日復盛禮登門往拜。心如舉動豪華。言詞敏給。婦女淺見墮其術中。命其子呼之爲叔。心如呼婦爲嫂。往來親密。儼然共本同支矣。心如兄弟三人。長爲念如。現管糧船。家已累盡。次爲意如。早逝無子。心如私將寡婦之子。載入意如名下。爲二房長子。已居三房後。念如因貧革運。例簽二房。因現在有子。衛官出差至松。將子蜂擁捉來。申詳補役。寡婦不知。反求救於心如。心如紿之曰：「此衛書某人作惡。事已定矣。不能挽回。」寡婦旦夕呼天唖罵某書。而不知爲心如之計也。踰三年。子方十八歲。運糧過淮。缺額十石。漕運總督命加重責。至十九棍而氣絕。硃票押令。心如接項甫及三年。亦

因少糧被漕督嚴刑責至三十八棍而氣絕按其身死之處即于受杖之處報應毫釐不爽

剜目巧報

崇正癸未山東濟甯南關有文帝武帝二廟久圮庠生王道新陳弇脩等捐貲競勸鳩工重脩卜吉上樑廟後界清眞寺回教楊生花楊化龍侵蹦廟地糾黨拆逐弇脩不平偕兄嘉脩弟尙脩王宏等公呈總河禁止生花銜憾邀截弇脩於途捶毆幾斃剜其雙目塞以礦灰犖爲得計斷無生理矣夜半弇脩夢綠袍偉人持酒命嚥之有聲家人驚聞次夜又夢元巾藍衣排闥而入趣弇脩起云「吾來醫子」手擊腦後死血迸出目孔噴血如注三夜見一老嫗先飼以杏繼飼以李使吞之又投羊眼盈把弇脩接之吞其二

兩目復生而明矣。翁脩恐生花等復思害之。避去舊里。甲申年。流寇郭升至濟寧將生花合族十三口。一。一。剜。目。剜。心。戮於市。乙酉學政校士。拔陳氏弟兄。俱高等。鄉試。翁脩並弟尙謙同脩廟王宏王道新。俱中式。聯登甲第。翁修授江南貴池令。居易錄

騙財巧還

常叔度性極狡獪。誆人財物。詭計百出。同里有趙姓者。家富而愚。叔度窺。其可啗。乃與之結拜弟兄。以女妻其子。趙以至親可託。凡事信任。叔度或引之入花柳之地。暗勾地棍拏姦。彼出面解紛。藉取其貲。或設局誘賭。千金一擲。不數年。趙之十萬家財侵吞其半猶不滿意。時開捐例。又誘趙出粟納官。趙不知其詐。賣田得銀二千兩。盡以託之。叔度到京。自捐職銜。造假部照相哄。種種欺騙。難

以悉數後趙子長成娶女過門趙亦身故子生計益困十月天猶無綿衣日夜尤其妻女忿極歸告叔度曰「翁在日與父爲一人交父縱不念女當念亡翁今吾家一貧似洗父不憐而相救異日何以見翁於地下乎」叔度曰「汝出嫁時吾已大費粧奩現在之產乃爾兩兄應得爾何妄思覬覦」女曰「父之產女不應得是矣敢問趙姓之產非其子孫何爲吞佔乎吾翁在世雖愚竊恐死後不愚父必有報也」叔度大怒叱女去再不許歸甯豈知天必不佑奸人叔度兩子好嫖耽賭無所不至長者患梅瘡服收歛藥以圖速愈數月後即大發遍身皮脫而死次者在賭場一夜輸二千金天明忽言頭暈肩輿至家頃刻卒叔度痛子抑鬱而終其妻隻身無依接壻與女來家倚半子終老不但所侵趙之家財全

璧。而。歸。並其半。生。別。處。誆。騙、之。貲。亦盡。有。焉。趙可謂。失。便。宜。處。得。便。宜。矣。

國家圖書館出版品預行編目資料

巧談／（清）陳鏡伊編
-- 初版 .-- 臺北市：
世界，2015.08
面；公分．--（道德叢書；10）

ISBN 978-957-06-0536-5（平裝）
1. 倫理學 2. 通俗作品
199.08 104014621

世界書號：A610-2168

道德叢書之十

巧談

作者／（清）陳鏡伊編
發行人／閻初
發行者／世界書局股份有限公司
登記證／行政院新聞局局版臺業字第〇九三一號
地址／臺北市重慶南路一段九十九號
電話／（〇二）二三三一一一三八三四
傳真／（〇二）二三三一一七九六三
網址／www.worldbook.com.tw
劃撥帳號／〇〇〇五八四三七 世界書局
出版日期／二〇一五年八月初版一刷
定價／台幣二二〇元
道德叢書全套十四冊，定價二四〇〇元